MEDITAÇÃO
É MAIS DO QUE VOCÊ PENSA

JON KABAT-ZINN

MEDITAÇÃO É MAIS DO QUE VOCÊ PENSA

Descubra o poder e a importância do mindfulness

Tradução:
Laura Folgueira

)|((Academia

Copyright © Jon Kabat-Zinn, Ph.D., 2018
Copyright © Editora Planeta do Brasil, 2019
Esta edição foi publicada em acordo com Hachette Books, Nova York, EUA.
Todos os direitos reservados
Título original: *Meditation is not What You Think*

Preparação: Fernanda Guerriero Antunes
Revisão: Alice Ramos e Thais Rimkus
Diagramação: Anna Yue e Francisco Lavorini
Capa: Rafael Brum
Imagem de capa: MSSA/Shutterstock e Dirk Ercken/Shutterstock

Dados Internacionais de Catalogação na Publicação (CIP)
Angélica Ilacqua CRB-8/7057

Zinn, Jon Kabat
Meditação é mais do que você pensa / Jon Kabat-Zinn. -Tradução de Laura Folgueira - São Paulo: Planeta, 2019.
272 p.
ISBN: 978-85-422-1642-4
1. Técnicas de autoajuda 2. Meditação I. Título
19-0934   CDD 158.128

2019
Todos os direitos desta edição reservados à
Editora Planeta do Brasil Ltda.
Rua Bela Cintra, 986 – 4º andar Consolação
01415-002 – São Paulo-SP
www.planetadelivros.com.br
faleconosco@editoraplaneta.com.br

a Myla
a Stella, Asa e Toby
a Will e Teresa
a Naushon
a Serena
à memória de Sally e Elvin
e de Howie e Roz

e a todos os que se dedicam

ao que é possível

ao que é

à sabedoria

à clareza

à gentileza

ao amor

Meditação: é mais do que você pensa 91
Duas formas de pensar sobre meditação 98
Para que se dar ao trabalho? A importância da motivação 104
Mirar e sustentar 112
Presença 117
Um ato radical de amor 123
Consciência e liberdade 127
Sobre linhagem e os usos e as limitações dos andaimes 133
Ética e carma 143
Mindfulness 150

PARTE 2
O poder da atenção e o "des-compasso" do mundo ... 157
Por que prestar atenção é tão incrivelmente importante 158
Des-compasso 167
Dukkha 170
Ímãs de *dukkha* 174
Darma 179
A Clínica de Redução do Estresse e a MBSR 185
A nação do TDAH 190
Conectividade 24 horas 200
Atenção parcial contínua 207
A "sensação" do tempo passando 213
A consciência não tem centro nem periferia 220
Vazio 225

Agradecimentos 239
Leituras relacionadas 244
Créditos e permissões 250
Índice remissivo 255
Sobre o autor 267
Práticas de meditação *mindfulness* guiadas
com Jon Kabat-Zinn 269

Prefácio

Afinal, o que é meditação?

Não é incomum as pessoas pensarem que sabem o que é meditação, em especial porque, essa palavra está muito presente no linguajar atual. Há menções em textos diversos e inúmeras imagens, além de *podcasts* e reuniões *on-line* abordando o tema. No entanto, a maioria de nós, de maneira compreensível, talvez ainda tenha perspectivas bastante limitadas ou incompletas a respeito do que é meditação e do que ela pode fazer em nosso benefício. É fácil demais reproduzir certos estereótipos, como o de que a meditação se limita a sentar-se no chão enquanto, de fato, se expulsam todos os pensamentos da mente; de que ela deve ser praticada por longos períodos e com frequência para ter algum efeito positivo; e ainda de que está inexoravelmente ligada a um sistema de crenças ou um modelo espiritual específico de uma tradição antiga. Também pode-se acreditar que seus benefícios são quase mágicos no corpo, na mente e na alma. Nada disso é tão exato, embora haja certa verdade em tudo. A realidade é bem mais interessante.

Então, o que é, de fato, a meditação? E por que pode fazer muito sentido, pelo menos, experimentar trazê-la para sua vida? Esse é o tema deste livro.

Meditação é mais do que você pensa foi publicado pela primeira vez em 2005, como parte de um livro maior chamado *Coming to Our Senses: Healing Ourselves and the World Through Mindfulness* [Voltando a fazer sentido: a cura de si mesmo e do mundo por meio do *mindfulness*]. Desde então, o *mindfulness*, também conhecido em português como "atenção plena", inesperadamente, se popularizou. Milhões de indivíduos ao redor do mundo adotaram uma prática formal de *mindfulness* como parte de seu dia a dia. Em minha opinião, trata-se de um desenvolvimento muito promissor e positivo, que eu esperava e vinha tentando catalisar havia anos, junto de muitas outras pessoas, apesar de ser inevitável, com a popularização, não haver algum grau de moda ao redor dela, bem como exploração comercial e oportunismo. E há ainda aqueles que alegam ensinar a técnica, mesmo que tenham pouco ou nenhum conhecimento ou treinamento. No entanto, até a moda pode ser vista como sinal de sucesso, embora se espere que seja passageira, conforme a cura significativa e o poder transformador do *mindfulness* como prática e forma de nos relacionarmos com nossa experiência de vida se tornem mais amplamente compreendidos e adotados.

Ainda que a meditação não tenha só a ver com se sentar imóvel no chão ou numa cadeira, a postura, tanto literal quanto metaforicamente, é um elemento importante do *mindfulness*. Podemos dizer que, em essência, é uma maneira muito conveniente e direta de cultivar maior intimidade com o desenrolar da vida e nossa capacidade de estar consciente – e perceber o quanto a consciência é um ativo valioso, negligenciado e subestimado.

Um caso de amor com a vida

O ato de, regularmente, encontrar a posição em sua vida, que também pode ser visto como assumir uma atitude de algum tipo, é em si mesmo uma profunda expressão da inteligência humana. No fim das contas, é uma atitude radical de sanidade e amor — em específico, parar todo o fazer que nos carrega *pelos* nossos momentos sem estarmos de verdade os habitando, e de fato entrar no ato de estar, mesmo que por um momento fugidio. É incrível como essa presença é uma ação simples, mas, ao mesmo tempo, muitíssimo radical, que reforça o *mindfulness* como uma prática de meditação e uma forma de ser. É fácil de aprender. É fácil de fazer. No entanto, também é fácil de se esquecer de praticá-la, embora esse tipo de presença não exija tempo algum; apenas uma lembrança.

Por sorte, essa intimidade com nossa capacidade de consciência é cada vez mais adotada e nutrida de uma forma ou outra por mais e mais pessoas, entranhando-se em vários domínios da sociedade: de crianças em idade escolar a idosos, de acadêmicos a executivos, de engenheiros de tecnologia a líderes comunitários e ativistas sociais, de universitários a alunos de medicina e pós-graduação, de — acredite se quiser — políticos a atletas de todas as modalidades do esporte. Além disso, na maior parte, o *mindfulness* é nutrido e cultivado não como luxo ou moda passageira, mas com o crescente reconhecimento de que pode ser uma necessidade absoluta para se levar uma vida completa e com integridade — em outras palavras, ética — diante dos desafios que pairam sobre nós todos os dias e para aproveitar todas as oportunidades e as opções tentadoras que também estão disponíveis neste momento específico. Para isso, porém, precisamos ver além e transcender, mesmo que por um momento, as limitações habituais e autoconstruídas de nossa própria mente, as narrativas que criamos para nós mesmos, que não são suficientemente verdadeiras — isso se chegarem a ser um pouco verdadeiras –, e toda a nossa cegueira endêmica. A empreitada, ao fim e ao cabo, é uma aventura enorme e extremamente vital – cheia de altos e baixos, assim como a vida. Como escolhemos estar em relação a ela, contudo, faz toda a diferença em como essa aventura, a aventura de nossa vida, se desdobra. E temos muito mais poder de decisão nisso do que se pode imaginar.

Há muitas formas diferentes de cultivar o *mindfulness*, tanto por meio da prática formal da meditação quanto na vida e no trabalho do dia a dia. Como você verá, a meditação formal pode ser praticada em inúmeras posições: sentada, deitada, em pé ou enquanto caminha. E o que chamamos de *prática informal da meditação*, que, no fim das contas, é a prática real da meditação, envolve fazer a vida ter a mesma extensão de sua prática e reconhecer que tudo o que se desenrola dentro dela, o que se quer, o que não se quer e o que não se percebe é o programa verdadeiro. Quando vemos a meditação dessa forma ampla, nada que se apresenta em nossa mente ou em nossa vida ou no mundo é excluído, e qualquer momento é perfeito para trazer consciência ao que está ocorrendo e, assim, aprender, crescer, curar-se.

Com o tempo, o mais importante é que você encontre sua forma única e autêntica de praticar, que pareça intuitiva e confiável, que seja verdadeira para você e, ao mesmo tempo, fiel à essência das antigas tradições das quais emerge o *mindfulness*. O objetivo deste livro é ajudá-lo a fazer exatamente isso ou a, pelo menos, começar essa aventura de uma vida toda. Você aprenderá a desenvolver uma prática diária de *mindfulness*, se isso lhe for novidade para você, ou, espero, a aprofundar sua prática, caso tenha uma. De qualquer maneira, também aprenderá a vê-la como um caso de amor, não como uma tarefa ou um peso, um "dever" extra em seu dia já atarefado demais. Assim, habitará profundamente a vida. Como mostram décadas de pesquisas, o *mindfulness* pode ser um aliado poderoso para enfrentar e superar desafios como estresse, dor e doenças.

O que fazer e o que não fazer

Às vezes, estar atento se parece com fazer alguma coisa. Em outras ocasiões, estar atento se parece com não fazer nada. De fora, nem sempre é possível saber. No entanto, mesmo quando se parece ou se sente como sendo não fazer nada, não é bem assim. Nem mesmo se trata de *fazer*. Sei que tudo parece um pouco maluco, mas a meditação de *mindfulness* tem muito mais a ver com o não fazer, com simplesmente entrar no ato de *estar* no único instante que temos – este – do que com fazer algo ou chegar a algum lugar. O modo como você está – e onde quer que você esteja em qualquer momento – é bom o suficiente, ao menos por enquanto! Aliás, é perfeito, se estiver disposto a sustentar a atenção no momento, ao mesmo tempo sendo gentil consigo mesmo e não forçando as coisas.

A prática regular de meditação *mindfulness* nos ajuda a acessar, dentro de nós, a amplitude franca que é característica da atenção pura, além de expressá-la na forma como agimos no mundo. O *mindfulness*, como prática regular, pode literal e figurativamente devolver sua vida, ainda mais, se você estiver estressado, ou com dor, ou em meio a incertezas e a um turbilhão de emoções – o que, é claro, todos estamos, em um ou outro nível, em algumas épocas da vida.

Apesar de sua atual popularidade e notoriedade, o *mindfulness* é, acima de tudo, uma *prática*, por vezes, bastante árdua. Para a maioria de nós, exige um cultivo intencional e contínuo. Esse cultivo é alimentado pela disciplina regular da meditação, pura e simples. E é, de fato, simples, embora não necessariamente fácil. Assim, este é um dos motivos pelos quais vale a pena fazê-la. O investimento de tempo e energia é profundamente benéfico. É curativo. Pode ser transformador. Essa é uma das razões pelas quais costuma-se dizer que a prática de *mindfulness* devolve a vida às pessoas.

Mindfulness está na moda

Há diversos motivos que justificam a prática da meditação – em particular, da meditação *mindfulness* – ter se popularizado durante os últimos quarenta e tantos anos. Um deles tem a ver com o trabalho de uma comunidade cada vez maior de colegas do mundo todo, da qual tive o privilégio de fazer parte, os quais ensinam MBSR (sigla em inglês para redução de estresse baseada em *mindfulness*), um programa que desenvolvi e lancei, em 1979, no Centro Médico da Universidade de Massachusetts. Durante os anos que se seguiram, a MBSR inspirou a criação e o estudo de outras práticas baseadas em *mindfulness*, como a MBCT (sigla em inglês para terapia cognitiva baseada em *mindfulness*) para depressão e uma gama de outros programas modelados na MBSR para outras circunstâncias em que as pessoas se encontram e que pesquisas científicas comprovaram ser valiosas e eficazes[1].

O objetivo original da clínica de MBSR, um programa ambulatorial de oito semanas em formato de curso, era testar o valor potencial do treinamento em *mindfulness* para ajudar a reduzir e aliviar o sofrimento associado a estresse, dor e doenças em pacientes com condições crônicas que não estavam respondendo aos tratamentos médicos comuns e, portanto, saíam do controle do sistema de saúde e de medicina tradicional. A MBSR devia ser uma rede de segurança para protegê-los durante a queda e desafiá-los a fazer algo por si mesmos

---

[1] Uma lista parcial (siglas em inglês) inclui MBPC (parto e criação baseados em *mindfulness*); MBRP (prevenção de recaída baseada em *mindfulness*), para abuso de álcool; MB-EAT (terapia de consciência alimentar baseada em *mindfulness*), para distúrbios alimentares; MBSPE (melhoria da *performance* esportiva baseada em *mindfulness*); MBWE (educação para o bem-estar baseada em *mindfulness*).

ao participar da própria trajetória em direção à saúde e ao bem-estar. A MBSR não seria um novo tratamento médico nem uma nova terapia. Em vez disso, seria uma intervenção de saúde pública autoeducativa que, ao longo do tempo, com mais e mais usuários passando por ela, poderia ter o potencial de mudar a curva da humanidade na direção de mais saúde, bem-estar e sabedoria. Estávamos, em algum sentido, ensinando as pessoas a colaborar com o que seus médicos e o hospital podiam fazer por elas, mobilizando os próprios recursos interiores por meio da prática de *mindfulness* e percebendo se, ao fazer isso, elas conseguiam não ser internadas ou, ao menos, se isso aconteceria mais raramente, já que aprendiam a se cuidar melhor e a desenvolver novas formas de lidar com seus níveis de estresse e de dor e a modulá-los, bem como seus vários problemas de saúde e suas condições crônicas.

Estávamos interessados em ver e documentar, o melhor possível, se as práticas meditativas que enfatizavam o *mindfulness*, executadas com regularidade de 45 minutos por dia, seis dias por semana, durante as oito semanas do programa, fariam uma diferença significativa na qualidade de vida, na saúde e no bem-estar dos participantes. Para a maioria, não houve dúvidas, desde o começo, de que sim. Nós mesmos notávamos as transformações durante as oito semanas. Elas compartilhavam, alegremente, nas aulas, algumas das mudanças experimentadas e com as quais se sentiam empoderadas, e nossa coleta de dados confirmou isso.

Começamos a divulgar nossas descobertas em artigos médicos a partir de 1982. Dentro de alguns anos, outros cientistas e clínicos também iniciaram o estudo cada vez mais rigoroso do *mindfulness*, aumentando, então, o extenso conhecimento sobre o assunto na comunidade científica.

Hoje, há uma exploração próspera do *mindfulness* e seus potenciais usos em medicina, psicologia, neurociência e muitos outros campos. Isso por si só é bastante impressionante, pois representa a confluência de dois domínios do conhecimento humano que nunca antes tinham se encontrado: medicina e ciência, de um lado, e antigas práticas contemplativas, do outro.

Quando *Coming to Our Senses* foi publicado, em janeiro de 2005, havia apenas 143 artigos na literatura médica e científica com a palavra *mindfulness* no título. Isso representa 3,8% dos 3.737 artigos publicados sobre o assunto em 2017. Nesse meio-tempo, emergiu todo um campo na medicina e, mais largamente, na ciência, o qual examina os efeitos em coisas que vão desde a incrível capacidade de nosso cérebro se remodelar (a chamada *neuroplasticidade*) até seu efeito em nossos genes e sua regulamentação (a chamada *epigenética*), em nossos telômeros e, portanto, no envelhecimento biológico, em nossos pensamentos e nossas emoções (em especial em termos de depressão, ansiedade e vício), bem como na vida familiar, profissional e social.

Um novo formato para uma nova época

Mencionei antes que *Meditação é mais do que você pensa* foi originalmente publicado em 2005 como parte de um livro maior, *Coming to Our Senses*. Dado tudo o que se passou desde então, achei que podia ser útil dividir aquela obra em quatro volumes mais curtos, para uma nova geração de leitores. Como você tem em mãos, agora, o primeiro desses livros, imagino que deva estar pelo menos um pouco curioso sobre a meditação em geral e o *mindfulness* em particular até aqui. Mesmo que não esteja tão curioso, porém, ou esteja pensando que colocar a meditação em sua vida é um pouco assustador – mais uma coisa que terá de fazer ou que vai tomar tempo, momentos preciosos que você não tem –, que esteja apreensivo sobre o que sua família e seus amigos podem pensar ou, até mesmo, que a ideia de meditação formal lhe cause desânimo ou pareça forçada e impraticável, não se preocupe. Nada disso é um problema. Afinal, a meditação, e, em particular, a meditação *mindfulness*, é mais do que você pensa.

No entanto, o que a meditação pode fazer é transformar sua relação com seus pensamentos. Ela pode ajudar na conexão com essa capacidade, que é um, mas só um, entre vários tipos de inteligência que você tem e pode utilizar, em vez de deixar se aprisionar, como tantas vezes somos por nossos pensamentos quando esquecemos que são somente pensamentos, acontecimentos no campo da consciência, não a verdade. Então, seria possível dizer que estas páginas cobrem *o que* e *o porquê* do *mindfulness*.

O próximo livro da série, *Falling Awake* [ainda não publicado no Brasil], explora em detalhes como cultivar sistematicamente o *mindfulness* em seu cotidiano. O poder curativo e transformador do *mindfulness* está na prática em si. *Mindfulness* não é uma técnica, mas uma forma de estar numa relação sábia com a completude de sua experiência interna e externa. Ou seja, quer dizer que seus sentidos, todos eles — e há muito mais do que cinco, como veremos —, têm um papel enorme e crucial. Então, poderíamos dizer que esse segundo livro cobre a parte *como* do *mindfulness*, em detalhes, tanto relativos à prática de meditação formal quanto ao modo de estar.

O terceiro livro, *The Healing Power of Mindfulness* [ainda não publicado no Brasil], tem mais a ver com a *promessa* do *mindfulness*. Nesta terceira parte, exploram-se os potenciais benefícios do *mindfulness* a partir de uma perspectiva ampla, incluindo dois estudos nos quais estive diretamente envolvido. Não documentei completamente os resultados de todos os novos estudos científicos que saíram desde 2005, pois seria demais. Afinal, há muitos textos sendo publicados todos os dias. As principais tendências, contudo, são resumidas no prefácio deste volume, com referências a livros que descrevem algumas das pesquisas recentes mais animadoras.

Para além da ciência, esse terceiro livro da série evoca um pouco da beleza e da poesia inerentes a uma gama inteira de perspectivas e circunstâncias que podem ser ao mesmo tempo iluminadoras e curadoras. Algumas se baseiam em tradições meditativas, em particular, zen, vipassana, dzogchen e hatha ioga; esta, pessoalmente, me tocou muito fundo e me impeliu a integrar o *mindfulness* desde quando eu tinha 21 anos. Todas apontam para o valor do despertar incorporado e de nossa interconectividade intrínseca. O poder de suas perspectivas, seus *insights* e suas práticas foi transmitido para nós ao longo séculos – uma linhagem humana impressionante que, hoje, está muito viva e próspera.

O quarto livro, *Mindfulness for All* [*Mindfulness* para todos], é sobre a *concretização* do *mindfulness* em sua própria vida – concretização no sentido de torná-lo real e incorporá-lo do seu jeito, da melhor forma possível, não só como indivíduo, mas como membro da família. Essa obra foca menos no corpo e mais no corpo político e no que aprendemos na medicina durante os últimos quarenta anos, nas tradições contemplativas durante os últimos vários milhares de anos, e que pode ter um valor essencial para nós, como *Homo sapiens*, neste momento, no planeta. Ele também evoca o próprio potencial como ser humano único vivo e que respira, bem como seu lugar no mundo maior, quando você persiste em habitar sua capacidade de despertar e experimenta a criatividade, a generosidade, o cuidado, a calma e a sabedoria que a prática naturalmente suscita. Portanto, este volume inclui não apenas a concretização individual, mas também um despertar mais social, da espécie inteira, para nosso potencial completo como seres humanos.

Minha esperança com esses quatro livros é apresentar a uma nova geração o poder atemporal do *mindfulness*, bem como as diferentes formas segundo as quais ele pode ser descrito, cultivado e aplicado no mundo como o conhecemos. Inclusive, confio que muitas novas aplicações e abordagens serão desenvolvidas e implementadas por gerações futuras, à própria maneira, de acordo com as circunstâncias em que elas se encontrarão. Hoje, essas circunstâncias incluem uma nova consciência sobre o aquecimento global, os custos humanos inconcebíveis e a força destruidora da guerra, a injustiça econômica institucionalizada, o racismo, o machismo, o preconceito por idade, o assédio e os ataques sexuais, o *bullying*, os desafios da identidade de gênero, o *cyber-hacking*, a infinita competição por atenção – a chamada "economia da atenção" –, uma falta generalizada de civilidade, uma polarização e uma demagogia extremas nos governos e entre governos, junto de todos os outros horrores e da incrível beleza que sempre fizeram parte da vida dos humanos desde os primórdios.

Ao mesmo tempo, e é importante também manter em mente essa perspectiva, nada mudou de fato. Como gostam de dizer os franceses: "*Plus ça change, plus s'est la meme chose*", ou quanto mais as coisas mudam, mais ficam iguais. Ganância, ódio e ilusão operam desde sempre na mente humana e fazem surgir violência e sofrimento infinitos. Então, temos muito trabalho neste momento; quer dizer, isso se você escolhe esse caminho para seu próprio bem e para o bem do mundo. Em paralelo, quando a mente humana se conhece profundamente, também conhecemos beleza, gentileza, criatividade e *insights*, desde sempre. Generosidade e gentileza, ternura e compaixão são uma parte essencial da natureza humana e da condição humana, assim como obras de arte transcendentes, música, poesia, ciência e a possibilidade de prevalecerem a sabedoria e a paz interior e exterior.

O poder do momento presente quando abraçado com consciência plena

Não há dúvidas de que *mindfulness*, compaixão e sabedoria são hoje mais importantes do que nunca – embora a essência do *mindfulness* seja, e sempre tenha sido, atemporal, tendo a ver com nossa *relação* com o momento presente, com qualquer momento, não importando como ele seja. O passado somente está disponível a nós neste momento. E também é assim com o que ainda vai acontecer num futuro que tentamos infinitamente antever e controlar. Se você quer que o futuro seja diferente, sua única vantagem é habitar por completo o momento presente, e isso significa habitá-lo com a consciência e o coração. Isso é, em si, uma ação, embora pareça um não fazer. Então, o momento imediatamente seguinte será cheio de possibilidades, pois você se encontrará disposto a estar nele. Habite em absoluto este momento, e o momento imediatamente depois (o futuro) já será diferente. Cada momento do agora é um ponto de ramificação. Qualquer coisa pode acontecer no instante seguinte. No entanto, o que vai acontecer depende de você se encontrar disposto a estar acordado e consciente neste momento. É claro que, por vezes, é importante agir a serviço da sabedoria, da compaixão, da justiça, da liberdade, mas as ações, em si, podem ser irracionais ou ineficazes, a não ser que nosso fazer venha de nosso estado. Então, uma forma inteiramente diferente de fazer emerge... Algo que podemos chamar de "fazer sábio" ou "ação sábia", um fazer autêntico moldado na fornalha do *mindfulness*.

Se você olhar seu relógio, descobrirá, maravilha das maravilhas, que é agora mais uma vez. E que melhor hora para iniciar o *mindfulness* como prática e forma de estar e, fazendo isso, começar, retomar ou reenergizar uma jornada de vida de aprender, crescer, se curar e se transformar? Ao mesmo tempo, você não vai a lugar algum, afinal, já é inteiro, já é completo, já é quem você é em toda a completude. *Mindfulness* não é e não pode ser algo que o *melhora*, pois você já é inteiro, já é completo, já é perfeito (incluindo todas as "imperfeições"). Em vez disso, envolve *reconhecer* que já é inteiro, já é completo neste momento, apesar de qualquer contra-argumento que alguma parte esperta de sua mente possa mobilizar agora mesmo. Enfim, tem a ver com retomar a dimensionalidade e a possibilidade da única vida que você tem para viver enquanto há chance. E, depois, incorporar isso de uma ou mais formas criativas, um número potencialmente infinito delas, que de maneira inevitável entrarão em colapso, em todo e qualquer momento, e de fato se desdobrarão em consciência plena naquele momento. Há uma tremenda liberdade de escolha e criatividade nessa forma de estarmos ao mesmo tempo acordados e conscientes momento a momento em nossa vida.

Um arco evolucionário

A prática do *mindfulness* remonta há milhares de anos, das antigas civilizações da Índia e da China, chegando a ser anterior a Buda, embora tenham sido Buda e seus seguidores que, durante os séculos, a tenham articulado de forma mais clara e com mais detalhes. Buda falava sobre *mindfulness* como "o caminho direto" para a libertação do sofrimento. Como vimos, o *mindfulness* pode ser pensado como forma de estar, uma forma que continuamente reexamina e rearticula a essência do despertar humano e como ela pode ser incorporada em novas épocas e culturas diante dos atuais desafios. A palavra *"mindfulness"* está passando a representar um arco evolucionário da sabedoria humana, que tem se desenvolvido há séculos e, agora, encontra novas maneiras e assume novas formas de nos ajudar a reconhecer a completude intrínseca de nossa vida como seres planetários interconectados e, assim, cultivar o desenvolvimento contínuo de nossa espécie muitíssimo jovem e altamente precoce. Por meio de pesquisa contínua e de trocas e diálogos entre cientistas e contempladores, bem como do trabalho de um número cada vez maior de professores de *mindfulness* diversos, dedicados e bem treinados, de muitas tradições e culturas diferentes, nós, humanos, achamos formas cada vez mais válidas de compreender o *mindfulness* e seus efeitos potencialmente transformadores e curativos, bem como maneiras de implementá-lo em diferentes domínios. Até políticos e governos ao redor do mundo começam a prestar atenção e a se engajar no cultivo e na prática, além de desenvolver políticas baseadas em seu potencial de estimular a saúde de uma comunidade ou uma nação – não que devamos colocar fé demais em políticos, mas eles também são seres humanos, capazes de agir para o bem maior sob determinadas circunstâncias, a fim de ser incrivelmente úteis para aqueles que são privados de maneira sistemática de direitos e desempoderados na sociedade.

O desafio e a aspiração

No fim, pode-se dizer que o desafio mais importante é que todos nós acordemos, pelo menos um pouco mais, e nos conscientizemos tanto literal quanto metaforicamente, no nível que pudermos e quisermos, em especial se percebemos que o *mindfulness* é, em essência, um caso de amor com o mais profundo e o melhor de nós como seres humanos. Então, estaremos em melhor posição para ver o que há para ver, sentir o que há para sentir e nos tornarmos mais conscientes por meio de todos os nossos sentidos. Toda a experiência humana aguarda um convite para ser mais completa em sua vida, para ser vivida com consciência e, como o experimento ou a aventura de uma vida toda, para você ver o que pode acontecer enquanto tem a chance. Seja bem-vindo a um círculo de intencionalidade e ao despertar incorporado que se expande cada vez mais.

Que seu interesse em *mindfulness* e sua compreensão sobre ele cresçam e floresçam, nutrindo e avivando sua vida e seu trabalho, sua família e sua comunidade, e este mundo ao qual todos pertencemos, de momento a momento e dia a dia.

Jon Kabat-Zinn
Northampton, MA
24 de janeiro de 2018

Introdução

O desafio de uma vida toda – e de toda vida

> *Pode ser que, quando não soubermos mais que fazer,*
> *tenhamos chegado a nosso verdadeiro trabalho*
> *e que, quando não soubermos mais que caminho tomar,*
> *tenhamos começado nossa verdadeira jornada.*
> WENDELL BERRY

Não sei você, mas eu sinto que estamos em um momento crítico da vida neste planeta. Podemos escolher entre uma série de caminhos diferentes. Parece que o mundo está pegando fogo, assim como nosso coração, inflamado pelo medo e pela incerteza, sem qualquer convicção e muitas vezes cheio de paixão, mas também de uma intensidade imprudente. A forma como nos enxergamos e enxergamos o mundo agora fará uma diferença enorme em como as coisas se desdobrarão. O que emergirá para nós, como indivíduos, e para a sociedade em ocasiões futuras será moldado em grande medida pela forma como usamos nossa capacidade inata e incomparável de consciência – se é que a usamos. Será moldado pelo que escolhemos fazer para curar a dor, a insatisfação e o absoluto "(des)compasso" subjacentes a nossa vida e época, ao mesmo tempo que nutrimos e protegemos tudo o que é bom, belo e saudável em nós e no mundo.

O desafio, em minha visão, é cair em si, tanto individualmente quanto como espécie. Acho justo dizer que há, em todo o planeta, um movimento considerável nessa direção, com regatos e até riachos de criatividade, bondade e cuidado humanos, pouco notados e ainda menos compreendidos se transformando em rios de despertar, compaixão e sabedoria, mesmo diante dos muitos desafios. Aonde a aventura está nos levando, como espécie e em nossa vida particular, até de um dia para o outro, não se sabe. O destino dessa jornada coletiva em que estamos envolvidos não está fixado nem predeterminado, ou seja, não há destino, apenas a jornada em si. O que estamos enfrentando agora e como vemos e compreendemos este momento molda o que pode emergir no instante seguinte, e no seguinte, e o molda de formas indeterminadas e, no fim das contas, indetermináveis, misteriosas.

No entanto, uma coisa é certa: é uma jornada na qual todos estamos, todos no planeta, queiramos ou não; saibamos ou não; com as coisas se desdobrando segundo o plano ou não. Tudo tem a ver com a vida e o desafio de vivê-la como se ela fosse importante de verdade. Sendo humanos, sempre temos uma escolha. Podemos ser carregados de forma passiva pelas forças e os hábitos que permanecem teimosamente não examinados e nos aprisionam distorcendo sonhos e potenciais pesadelos ou podemos nos engajar acordando para a vida e participando por completo de seu desdobramento, independentemente de "gostarmos" do que está acontecendo. Apenas quando acordamos nossa vida se torna real e chega a ter chance de ser libertada de ilusões, doenças e sofrimentos individuais e coletivos.

Anos atrás, um professor de meditação começou uma entrevista comigo num retiro de dez dias quase inteiramente silencioso perguntando: "Como o mundo está te tratando?". Murmurei alguma resposta qualquer para dizer que as coisas estavam OK. Aí, ele me perguntou: "E como você está tratando o mundo?".

Fiquei bastante impressionado. Era a última pergunta que eu esperava. Estava claro que ele não falava num sentido genérico. Não criava um assunto agradável. Ele quis dizer bem ali, naquele retiro, naquele dia, no que pode ter me parecido, à época, algo pequeno. Eu achava que, indo para o retiro, estava mais ou menos me afastando "do mundo", mas o comentário dele me mostrou que não é possível sair do mundo e que a forma como eu me relacionava em todo e qualquer momento, inclusive naquele ambiente artificialmente simplificado, era importante, aliás, essencial para meu propósito de estar aqui. Percebi, então, que eu tinha muito a aprender sobre por que estava lá, o que era a meditação e, por baixo disso tudo, o que eu estava realmente fazendo da vida.

Ao longo dos anos, de forma gradual passei a ver o óbvio: que as duas perguntas são, na verdade, lados diferentes da mesma moeda. Afinal, estamos sempre numa relação íntima com o mundo. O dar e o receber dessa relação continuamente molda nossa vida. Além disso, também molda e define o próprio mundo em que vivemos e em que nossas experiências acontecem. Muitas vezes, vemos esses dois aspectos da vida – como o mundo está me tratando e como eu estou tratando o mundo – como independentes. Você já notou como é fácil nos pegarmos pensando em nós mesmos como atores em um palco inerte, como se o mundo estivesse só "lá fora", e não também "aqui dentro"? Já notou que muitas vezes agimos como se houvesse uma separação significativa entre lá fora e aqui dentro, quando nossa experiência nos diz que essa é a mais fina das membranas e que há não uma separação de fato? Mesmo se intuirmos a relação íntima entre o exterior e o interior, ainda podemos ser razoavelmente insensíveis às formas como nossa vida de fato afeta e molda o mundo e as formas como o mundo molda nossa vida, numa dança simbiótica de reciprocidade e interdependência em todos os níveis, da intimidade com nosso corpo e nossa mente a como nos relacionamos com nossa família; de nossos hábitos de compra ao que pensamos sobre as notícias que vemos ou não vemos na TV e a como agimos ou não agimos dentro da sociedade.

Essa insensibilidade é particularmente onerosa, até destrutiva, quando tentamos, como tantas vezes, forçar as coisas para que sejam de certo jeito, do "meu jeito", sem considerarmos a violência em potencial, até numa escala minúscula, mas ainda significativa, contida nessa quebra de ritmo. Mais cedo ou mais tarde, essa força nega a reciprocidade, a beleza de dar e receber e a complexidade da própria dança; acabamos, de maneira intencional ou não, pisando em muitos calos. Essa insensibilidade, essa desconexão, nos isola de nossas próprias possibilidades. Ao nos recusarmos a reconhecer como as coisas realmente são em determinado momento, talvez porque não queiramos que elas sejam assim, e ao tentar forçar uma situação ou relação a ser do jeito que queremos por medo de que nossas necessidades não sejam atendidas, esquecemos que, na maior parte do tempo, mal sabemos qual é mesmo nosso jeito; somente achamos que sabemos. E também esquecemos que essa dança é extraordinariamente complexa e ao mesmo tempo simples e que coisas novas e interessantes acontecem quando não nos deixamos cair diante de nossos medos. Assim, em vez disso, paramos de impor e começamos a viver nossa verdade, para muito além de nossa capacidade limitada de controlar qualquer coisa por muito tempo.

Como indivíduos e como espécie, já não podemos ignorar essa característica fundamental de nossa reciprocidade e nossa interconexão nem podemos ignorar como novas possibilidades interessantes emergem de nossos anseios e de nossas intenções quando estamos, cada um à própria maneira, sendo verdadeiros com eles, sem importar quanto nos pareçam, por vezes, misteriosos ou opacos. Por meio da ciência, da filosofia, da história e das tradições espirituais, compreendemos que nossa saúde e nosso bem-estar, nossa felicidade e até a continuidade da linha germinal, aquele fluxo vital no qual somos apenas uma bola momentânea, doadores de vida e construtores do mundo para as próximas gerações, dependem de como escolhemos levar nossa própria vida enquanto a temos.

Ao mesmo tempo, como sociedade, vimos que a própria Terra, para não falar do bem-estar de suas criaturas e suas culturas, depende em grande medida dessas mesmas escolhas, feitas em larga escala por meio de nosso comportamento coletivo como seres sociais.

Para dar um exemplo, que agora praticamente todo mundo conhece e aceita, com algumas exceções, as temperaturas globais podem ser traçadas com precisão há pelo menos 400 mil anos, e é possível vê-las flutuando entre extremos de calor e frio. Estamos num período relativamente quente, mas, até pouco tempo atrás, não mais quente que qualquer outra era de calor experimentada pela Terra. Em 2002, fiquei chocado ao saber, num encontro entre Dalai Lama e um grupo de cientistas, que, nos 44 anos anteriores, os níveis de CO_2 na atmosfera tinham subido 18%, chegando a uma taxa maior do que nos últimos 160 mil anos, segundo medidas de dióxido de carbono no centro da neve da Antártica. E o nível continua a subir num ritmo cada vez maior[2]. Agora, 2015, 2016 e 2017 parecem ser os anos mais quentes já registrados.

O recente aumento alarmante de CO_2 atmosférico se deve inteiramente à atividade dos seres humanos. Se ela não for controlada, o Painel Intergovernamental sobre Mudança Climática prevê que os níveis de CO_2 atmosférico dobrarão até 2100 e, como resultado, a temperatura global média poderá crescer drasticamente. Já sabemos que, como consequências, há água aberta no polo Norte no verão, o gelo está derretendo

---

[2] Steven Chu, Stanford University, prêmio Nobel de Física, Mind and Life Institute, Dialogue X, Dharamsala, Índia, outubro de 2002.

em ambos os polos, e a geleiras no mundo estão desaparecendo rapidamente. Os potenciais resultados em termos de flutuações caóticas que desestabilizam o clima no mundo todo são preocupantes, senão aterrorizantes, e estamos vendo os resultados dessa desestabilização na crescente gravidade das tempestades e em seus impactos em nossas cidades. Embora sejam imprevisíveis por natureza, os efeitos incluem uma possível elevação drástica do nível do mar num período de tempo relativamente curto e a inundação de habitações e cidades costeiras. Imagine como ficaria Manhattan se o oceano subisse 15 metros. Pense em Bangladesh, Porto Rico e todos os países, as cidades e as ilhas onde a elevação do mar e o clima mais severo já estão sendo sentidos.

Poderíamos dizer que essas mudanças de temperatura e padrões climáticos são um sintoma, e só um Dentre muitos, de uma espécie de doença autoimune da Terra. Isso porque um aspecto da atividade humana está seriamente ameaçando o equilíbrio dinâmico geral do planeta como um todo. Nós sabemos? Nós nos importamos? É problema dos outros? Problema "deles", quem quer que "eles" sejam... cientistas, políticos, empresas de energia, a indústria automobilística... É possível, se somos realmente todos parte de um corpo, criarmos juízo sobre esse assunto e restaurarmos algum equilíbrio dinâmico? Podemos fazer isso em qualquer uma das outras atividades que exercemos, como espécie, que ameaçam nossa própria vida e a vida das próximas gerações, bem como a vida de tantas outras espécies?

Para mim, passou da hora de prestar atenção no que já sabemos ou intuímos, não só no mundo externo de nossas relações com os outros e com nossos arredores, mas no mundo interior de nossos pensamentos e sentimentos, aspirações e medos, esperanças e sonhos. Todos nós, independentemente de quem somos ou onde moramos, temos algumas coisas em comum. Na maior parte, compartilhamos o desejo de viver em paz, ir atrás de realizar nossos anseios particulares e impulsos criativos, contribuir de formas significativas para um propósito maior, nos adequarmos, pertencer e ser valorizados por quem somos, florescer como indivíduos, famílias e sociedades de propósito e consideração mútuos, viver em equilíbrio dinâmico individual, com saúde e em equilíbrio dinâmico coletivo, o que se costumava chamar de "bem-estar público", que honra nossas diferenças e otimiza nossa criatividade mútua e a possibilidade de um futuro livre do dano arbitrário e daquele que ameaça o que é mais vital para nosso bem-estar e nosso ser.

Esse equilíbrio dinâmico coletivo, em minha visão, se pareceria muito com o paraíso, ou pelo menos com estar confortavelmente em casa. É o sentimento de paz, quando de fato estamos em paz e conhecemos a paz, por dentro e por fora. É o sentimento de estar saudável. É o sentimento de felicidade genuína. É como estar em casa da maneira mais profunda. De alguma forma, não é isso que todos estamos dizendo que queremos de verdade?

Por ironia, esse equilíbrio já está aqui ao alcance de nossas mãos o tempo todo, de pequenas formas (não tão pequenas), e não tem nada a ver com pensamento fantasioso, controle rígido ou autoritário nem utopias. Esse equilíbrio já está aqui quando nos conectamos com nosso corpo e nossa mente e com as forças que nos movem durante o dia e os anos, especificamente, nossa motivação e nossa visão sobre por que vale a pena viver e o que precisa ser feito. Está aqui nos pequenos atos de gentileza que acontecem entre estranhos e em família e até, em tempos de guerra, entre supostos inimigos. Está aqui cada vez que reciclamos garrafas e jornais, pensamos em economizar água ou agimos em conjunto para cuidar de nosso bairro ou proteger as áreas naturais minguantes e as outras espécies com quem dividimos este planeta.

Se estamos sofrendo de uma doença autoimune do próprio planeta e se as causas dessa doença autoimune são as atividades e os estados mentais dos seres humanos, seria bom considerar o que podemos aprender com as últimas inovações da medicina moderna sobre os tratamentos mais eficazes para essas condições. Acontece que, nos últimos quarenta anos, a medicina descobriu, com um incrível desabrochar de pesquisas e práticas clínicas no campo conhecido como medicina mente/corpo, medicina comportamental, medicina psicossomática ou medicina integrativa, que o misterioso equilíbrio dinâmico que chamamos de "saúde" envolve tanto o corpo quanto a mente (para usar nossa forma esquisita e artificial de falar, que, bizarramente, separa um do outro) e tem chances de melhorar com qualidades de atenção específicas que podem ser sustentáveis, restauradoras e curativas. Descobriu-se que todos temos, dentro de nós, em nosso coração e nossos ossos, uma capacidade de paz e bem-estar dinâmica, vital, sustentada, bem como de inteligência inata, multifacetada, enorme, que vai além do meramente conceitual. Quando mobilizamos e refinamos essa capacidade e a colocamos em uso, somos muito mais saudáveis física, emocional e espiritualmente. Além de sermos muito mais felizes. Até nossos pensamentos ficam mais claros, e somos menos perturbados por tormentas mentais.

Essa capacidade de prestar atenção e de ação inteligente pode ser cultivada, acalentada e refinada para além de nossos maiores sonhos, se tivermos motivação para isso. Por infelicidade, como indivíduos, com frequência essa motivação só vem quando passamos por uma doença potencialmente mortal ou um choque sistêmico grave que pode nos deixar com dor extrema em corpo e psique. Ela pode vir sozinha, como acontece com tantos pacientes do programa MBSR na Clínica de Redução de Estresse – quando despertamos rudemente para o fato de que não importa quão incrível seja nossa tecnologia médica –, e tem limitações graves que tornam a cura total uma raridade; o tratamento, com assiduidade, é uma simples ação de retaguarda para manter o *status quo*, se é que há algum tratamento eficaz; e até o diagnóstico do que está errado é uma ciência inexata e, muitas vezes, lastimavelmente inadequada.

Sem exagero, é justo dizer que novos desenvolvimentos em medicina, neurociência e epigenética, como mencionado no Prefácio, mostram ser possível indivíduos mobilizarem recursos profundos inatos que todos parecemos ter por sermos humanos, recursos de aprendizado, de crescimento, de cura e de transformação que estão disponíveis em todo nosso tempo de vida. Essas capacidades se encontram em nossos cromossomos, nossos genes e genoma, nosso cérebro, nosso corpo, nossa mente e nossas relações com os outros e com o mundo. Ganhamos acesso a elas de onde estivermos, que é sempre aqui, e no único momento que temos, que é sempre agora. Todos temos o potencial de cura e transformação, não importa a situação em que nos encontremos, se é de longa duração ou recente, se a vemos como "boa", "má" ou "feia", perdida ou esperançosa, não importa se achamos que as causas são internas ou externas. Esses recursos interiores são nossos direitos de nascimento e estão disponíveis durante toda a nossa vida, pois não são, de forma alguma, separados de nós. É de nossa natureza aprender, crescer, se curar e caminhar na direção de mais sabedoria na forma de ver e nas ações, na direção de maior compaixão conosco e com os outros.

Ainda assim, essas capacidades precisam ser descobertas, desenvolvidas e colocadas em uso. Fazer isso é o desafio de nossa vida, isto é, uma chance de aproveitar ao máximo os momentos. Como regra, é fácil perder ou preencher esses momentos com coisas desejadas e indesejadas. No entanto, é igualmente fácil perceber que, no decorrer da vida, não temos nada além de momentos a viver, e é um dom estar de fato presente neles; além disso, coisas interessantes começam a acontecer quando estamos.

Esse desafio do tempo da vida, de escolher cultivar essas capacidades de aprender, crescer, curar e transformar em meio a nossos momentos, também é a aventura de uma vida toda. Começa uma jornada na direção de perceber quem realmente somos e de viver como se a vida fosse importante de fato. E é – mais do que pensamos. Mais do que podemos jamais pensar, e não simplesmente para nosso desfrute ou conquista, embora nossa alegria e nossos sentimentos de bem-estar e realização estejam destinados a florescer mesmo assim.

Essa jornada na direção de mais saúde e sanidade é catalisada quando mobilizamos e desenvolvemos os recursos que já temos. E o mais importante é nossa capacidade de prestar atenção, em especial, àqueles aspectos de nossa vida aos quais não dedicamos muito tempo, que podemos dizer que ignoramos, aparentemente desde sempre.

Prestar atenção refina e alimenta a intimidade com a consciência, aquela característica de nosso ser que, com a linguagem, distingue o potencial que a espécie tem de aprender e se transformar, tanto individual quanto coletivamente. Crescemos, mudamos, aprendemos e nos tornamos conscientes por meio da apreensão direta das coisas pelos nossos cinco sentidos, junto aos poderes mentais, que os budistas veem como um sentido em si. Somos capazes de perceber que qualquer aspecto da experiência existe dentro de uma rede infinita de inter-relações, algumas delas críticas para nosso bem-estar de curto ou de longo prazo.

É verdade que talvez não vejamos muitas dessas relações de imediato. Elas podem, no momento, ser dimensões mais ou menos escondidas no tecido de nossa vida, esperando para ser descobertas. Ainda assim, essas dimensões escondidas, que podemos chamar de *novos graus de liberdade*, estão potencialmente disponíveis a nós e de forma lenta se revelarão enquanto continuarmos a cultivar e habitar nossa capacidade de atenção consciente, cuidando de maneira intencional, com reverência e ternura do Universo, do mundo, da nação, da geografia, do terreno social, da mente e do corpo espantosamente complexos, mas fundamentalmente ordenados, dentro dos quais nos localizamos e nos orientamos. Tudo isso, em todos os níveis, está continuamente em fluxo e mudança, saibamos ou não, queiramos ou não. Portanto, tudo nos fornece incontáveis desafios e oportunidades para despertar, ver mais claramente e, assim, crescer e ir em direção à maior sabedoria em nossas ações a fim de domar o sofrimento torturado de nossa mente tumultuosa, em geral, tão longe de casa, tão longe da calma e do descanso.

Essa jornada na direção da saúde e da sanidade nada mais é que um convite a despertar para a plenitude de nossa vida enquanto podemos de fato vivê-la, não somente em nosso leito de morte, quando muito. Henry David Thoreau (1817-1862) alertou quanto a isso de forma muito eloquente em *Walden*, escrevendo:

> Fui para o bosque porque queria viver deliberadamente, defrontar-me apenas com os fatos essenciais da vida e ver se aprendia o que ela tinha a ensinar em vez de, à hora de minha morte, descobrir que não tinha vivido.

Morrer sem ter vivido plenamente, sem despertar para a vida enquanto temos a chance, é um risco contínuo e importante para todos nós, dado o automatismo de nossos hábitos e o ritmo implacável do desdobramento dos acontecimentos nesta era, muito maior do que na de David, bem como a alienação que tende a perpassar nossas relações com o que pode nos ser mais caro, mas, ao mesmo tempo, menos aparente.

Como Thoreau aconselhou, porém, é possível aprender a se aterrar na capacidade inata de sabedoria e atenção amorosa. Ele aponta que é tanto possível quanto desejável primeiro experimentar e depois habitar uma consciência vasta e espaçosa de coração e mente. Quando cultivada adequadamente, essa consciência pode discernir, abraçar, transcender e nos libertar dos véus e das limitações de nossos padrões de pensamento rotineiros, de nossos sentidos e nossas relações do cotidiano, bem como de estados mentais com frequência turbulentos e destrutivos e de emoções que os acompanham.

Esses hábitos são invariavelmente condicionados pelo passado não só por nossa herança genética, mas por nossas experiências de trauma, medo, falta de confiança e segurança, sentimentos de não sermos dignos por não termos sido vistos e honrados por quem somos ou por ressentimentos de longa data derivados de desprezos, injustiças ou danos abertos e esmagadores. Mesmo assim, são hábitos que estreitam nossa visão, distorcem nosso entendimento e, se não forem combatidos, impedem nosso crescimento e nossa cura.

Para se conscientizar, literal e metaforicamente, em grande escala como espécie e numa escala menor como ser humano único, é preciso, antes, retornar ao corpo, o lócus em que nascem os sentidos biológicos e que chamamos de mente. O corpo é algo que, na maior parte, ignoramos; às vezes, mal o habitamos dele pouco cuidamos e quase não o honramos. Nosso próprio corpo é, estranhamente, uma paisagem ao mesmo tempo familiar e incrivelmente não familiar a nós. É um domínio que podemos, por vezes, temer ou até odiar, dependendo de nosso passado e do que enfrentamos ou tememos enfrentar. Outras vezes, pode ser algo que nos seduz por completo, e ficamos obcecados pelo tamanho do corpo, sua forma, seu peso ou sua aparência, com o risco de cair na autopreocupação e no narcisismo inconscientes, sem limites.

No nível individual, muitas pesquisas no campo da medicina mente/corpo nos últimos quarenta anos mostram que é possível chegar a algum grau de paz em relação ao corpo e à mente e, assim, encontrar mais saúde, bem-estar, felicidade e clareza, mesmo em meio a enormes desafios e dificuldades. Milhares de pessoas que já embarcaram nessa jornada com a MBSR relataram e continuam a contar sobre benefícios incríveis para si e para aqueles com quem compartilham sua vida e seus trabalhos. Vimos que prestar atenção dessa forma e, portanto, acessar essas dimensões escondidas e esses graus de liberdade não é um rumo para os poucos escolhidos. Qualquer um pode embarcar nesse caminho e encontrar grandes benefícios e conforto nele.

Conscientizar-se é o trabalho que não exige tempo algum, só o de estar presente e desperto aqui e agora. É também, paradoxalmente, um compromisso para toda a vida. Poderíamos dizer que o aceitamos "para a vida toda", em todos os sentidos da frase.

O primeiro passo na aventura de conscientização em todo e qualquer nível é cultivar a intimidade com a consciência em si. *Mindfulness* é sinônimo de consciência. Minha definição operacional de *mindfulness* é "a consciência que nasce de prestar atenção no momento presente e sem julgamento".

Se você precisar de um motivo para isso, podemos completar: "A serviço da sabedoria, da autocompreensão e de reconhecer nossa interconectividade intrínseca com os outros e com o mundo e, portanto, também a serviço da gentileza e da compaixão". *Mindfulness* é intrinsecamente ético quando se entende o que "sem julgamento" significa de fato[3]. Decerto, não quer dizer que você não vai julgar nada – vai, e muitos. É um convite para suspender o ato de julgar o máximo que conseguir e, simplesmente, reconhecê-lo quando ele surgir, sem julgar o julgamento.

Pode-se dizer que nossa capacidade de consciência e autoconhecimento seja o caminho comum do que nos torna humanos. Ganhamos acesso ao poder e à sabedoria de nossa capacidade de consciência cultivando o *mindfulness*, pode ser cultivado, desenvolvido e refinado, cuidadosa e sistematicamente, como prática, como forma de ser, por meio da *meditação mindfulness*.

A prática tem se espalhado rapidamente pelo mundo, chegando ao centro da cultura ocidental nos últimos quarenta anos, graças, em grande parte, a um número cada vez maior de estudos científicos e médicos sobre seus vários efeitos e a uma consequente explosão de interesse em muitas áreas dife-

---

[3] Não é se afastar de clareza e discernimento nem de valores humanos como gentileza e compaixão.

rentes, incluindo educação primária e secundária, educação superior, negócios, esportes, justiça criminal, forças armadas e governos, para não falar de psicologia e psicoterapia.

Não há nada estranho nem fora do comum em meditar ou na meditação, que se resume em prestar atenção em sua vida como se ela importasse muitíssimo – porque importa, e mais do que você pensa. Pode também ser útil ter em mente que, embora não seja mesmo nada fora do comum, nada especial, o *mindfulness* é, ao mesmo tempo, extraordinariamente transformador de modos impossíveis de imaginar, ainda que isso não nos impeça de elucubrar.

Quando cultivado e refinado, o *mindfulness* pode ter efeitos benéficos em quase todo nível da existência humana, do individual ao corporativo, passando pelo social, pelo político e pelo global; no entanto, exige que estejamos motivados a perceber que somos de verdade e a viver como se a vida realmente importasse não só para nós, mas para os outros e para o mundo. E isso porque, quando despertamos, percebemos que a própria realidade, e, portanto, o mundo que habitamos, é caracterizada por uma interconectividade profunda. Nada é de fato separado de nada. E essa interconectividade fica aparente quanto mais praticamos estar despertos e conscientes.

Essa aventura de uma vida toda acontece sempre que damos o primeiro passo. Quando andamos por esse caminho, como faremos juntos neste livro e nos outros três volumes, descobrimos que não estamos sozinhos em nossos esforços nem estamos sozinhos nas dificuldades da vida. Pois, começando a prática do *mindfulness*, você participa de algo que é uma comunidade global cada vez mais robusta de intencionalidade e exploração e que, por fim, inclui todos nós.

Mais uma coisa antes de embarcarmos.

Não importa quanto trabalhemos em nós mesmos para aprender, crescer e curar o que precisa ser curado pelo cultivo do *mindfulness*, não é possível ser saudável por completo num mundo que é profundamente doente de várias formas, e onde é óbvio quanto sofrimento e angústia existem, tanto para quem nos é próximo e querido quanto para quem nos é estranho, virando a esquina ou pelo mundo todo. Estar numa relação recíproca com tudo torna nosso o sofrimento dos outros, ainda que por vezes seja tão difícil suportar que nos afastamos. Em vez de ser um problema, porém, o sofrimento dos outros pode ser um fator motivador forte para a transformação interna e externa em nós e no mundo.

Não seria exagero dizer que o próprio mundo está sofrendo de uma doença séria e progressiva. Olhar para a história, em qualquer lugar e a qualquer momento, ou o fato de estar vivo agora são atos que revelam claramente que nosso mundo está sujeito a espasmos convulsivos de loucura, períodos do que parece insanidade coletiva, a ascendência da tacanhez e do fundamentalismo, épocas em que enorme infelicidade e confusão são forças centrifugais que impregnam o *status quo*. Essas erupções são o oposto da sabedoria e do equilíbrio. Elas tendem a ser compostas de uma arrogância provinciana em geral devotada à autoexaltação e à franca exploração dos outros, inevitavelmente associada a agendas de hegemonia ideológica, política, cultural, religiosa ou corporativa, mesmo se estiverem cobertas por uma linguagem de humanismo, desenvolvimento econômico, globalismo e pela atração muito sedutora das visões estreitas sobre "progresso" material e democracia ao estilo ocidental. Essas forças, em geral, carregam os custos escondidos da homogeneização e degradação cultural ou ambiental, além da grave revogação de direitos humanos. Tudo isso junto parece ser uma doença clara. Os balanços do pêndulo parecem se mover mais e mais rapidamente, então há pouco tempo para de fato apontarmos quando estamos no meio desses espasmos convulsivos e nos sentirmos tranquilos e nos beneficiarmos de uma paz generalizada.

Sabemos que o século XX viu mais matanças organizadas em nome da paz, da tranquilidade e do fim da guerra do que todos os séculos anteriores juntos. A maioria irrompeu, talvez ironicamente, nos grandes centros de saber e cultura magníficos que são a Europa e o Extremo Oriente. E o século XXI está seguindo no mesmo ritmo, de um modo diverso, mas igualmente perturbador, se não mais. Não importa quem sejam os protagonistas, a retórica e as questões particulares de debate, guerras – incluindo guerras disfarçadas e guerras ao terrorismo – sempre são iniciadas em nome dos propósitos e princípios mais elevados e convincentes, por todos os lados. Elas sempre levam a um derramamento de sangue assassino que, no fim, mesmo quando aparentemente inevitável, prejudica tanto vítimas quanto agressores. Além disso, são sempre causadas por perturbações na mente humana. Fazer o mal aos outros para resolver disputas que podiam ser bem resolvidas de outras maneiras mais imaginativas também nos cega às formas pelas quais a guerra e a violência são, em si, sintomas da doença autoimune de que nossa espécie parece sofrer de modo único e coletivo. Nos cega ainda a outras formas disponíveis para restaurar a harmonia e o equilíbrio quando eles são interrompidos por forças muito reais, muito perigosas, até virulentas que podemos, sem saber, alimentar e expandir, mesmo se as abominamos, resistimos e combatemos vigorosamente.

Além do mais, "ganhar" uma guerra, hoje, é um desafio muito diferente do que ganhar a paz após uma guerra, como os Estados Unidos tiveram de enfrentar no Iraque e no Afeganistão. Para isso, exige-se um pensamento e uma consciência de ordem totalmente diferente, que possa vir de nos compreendermos melhor e chegarmos a uma compreensão mais graciosa dos outros, os quais podem não aspirar ao que consideramos mais importante, pois têm a própria cultura, costumes e valores e que podem, por mais difícil que às vezes seja acreditarmos, perceber os mesmos acontecimentos de modo bem diferente de nós. Os Estados Unidos conseguiram isso de uma forma incrivelmente presciente com o talento e a sabedoria brilhantes do Plano Marshall na Europa na Segunda Guerra Mundial.

Mesmo assim, precisamos reconhecer continuamente a relatividade da percepção e as motivações que podem ao mesmo tempo moldar e nascer dessas percepções, ficando presas em ciclos restritivos que evitam uma visão maior, mais inclusiva e talvez mais precisa. Dada a condição do mundo, pode ser a hora de nos conectarmos com uma dimensão mais profunda da inteligência humana e da semelhança que está por trás de nossas formas diferentes de ver e saber. Isso sugere que seria profundamente insensato focar apenas em nosso bem-estar e nossa segurança individuais, porque nosso bem-estar e nossa segurança estão, no íntimo, interconectados com tudo o mais neste mundo sempre em contração que habitamos. Nos conscientizar envolve cultivar uma consciência ampla de todos os nossos sentidos, incluindo nossa própria mente *e suas limitações*, como a tentação, quando nos sentimos inseguros e temos muitos recursos, de controlar com o máximo de rigidez todas as variáveis do mundo externo, uma empreitada impossível e, afinal, esgotante, intrinsecamente violenta e exaustiva.

No domínio mais amplo da saúde do mundo, como acontece com nossa vida, por ser algo tão básico, precisamos dar primazia à consciência do corpo. Neste caso, porém, é o corpo político, o "corpo" constituído por comunidades e corporações (termo com a mesa raiz de corpo), nações e famílias de nações, todas com seus males, suas doenças e sua mescla de visões correspondentes, bem como com recursos profundos para cultivar a autoconsciência e a cura dentro das próprias tradições e culturas – e, para além disso, na confluência de muitas culturas e tradições diferentes que é uma das marcas do mundo atual.

Uma doença autoimune é, na verdade, o sistema de sentir, vigiar e se manter seguro do próprio corpo, ou seja, o sistema imune, enlouquecido, atacando as próprias células e os próprios tecidos, atacando a si mesmo. Nenhum corpo nem nenhum corpo político sobrevive muito sob essas condições, com uma parte de si guerreando com outra, não importa quão saudável e vibrante esse corpo esteja em relação a outras questões. Do mesmo jeito, nenhum país vai prosperar muito no mundo com uma política externa definida largamente pela reação alérgica, manifestação de um sistema imune desregulado, nem com a desculpa, por mais que verdadeira, de que estamos sofrendo coletivamente de estresse pós-traumático sério após os ataques de 11 de Setembro. Aquele trauma só se agravou com o nascimento do Estado Islâmico e do terrorismo global. A ascendência de correntes de populismo tóxico e racista não demorou muito. Essas condições só tornam mais fácil para que líderes bem-intencionados ou cínicos explorem os acontecimentos com vistas a propósitos que têm pouco ou nada a ver com a cura ou com a segurança verdadeira ou com a democracia autêntica, por sinal.

Como ocorre com um indivíduo que é catapultado, não importa quão grosseira e repentinamente, para a estrada que leva à saúde e ao bem-estar por causa de um ataque cardíaco não fatal ou algum outro diagnóstico desagradável e inesperado, um choque sistêmico, não importa quão horrendo, pode, quando sustentado e compreendido com cuidado e atenção, trazer um alerta para mobilizar recursos profundos e poderosos que estão à nossa disposição para curar e redirecionar nossas energias e prioridades. São recursos que talvez sejam negligenciados há tempo demais ou que até esquecemos que possuímos, mesmo enquanto reagíamos atenta e forçosamente para garantir nossa segurança e nosso bem-estar.

Essa cura do mundo mais amplo é trabalho de muitas gerações. Em diversos lugares, este trabalho já começou, conforme percebemos a enormidade dos riscos que enfrentamos ao não prestar atenção à condição moribunda do paciente, que é o mundo; ao não prestar atenção ao histórico do paciente, que é a vida neste planeta e, em especial, a vida humana, visto que nossas atividades agora moldam o destino de todos os seres na Terra por várias gerações; não prestando atenção ao diagnóstico autoimune que está nos encarando, mas que consideramos difícil aceitar; e ao não prestar atenção no potencial para tratamento que envolve abraçar amplamente o que é mais profundo e melhor em nossa própria natureza como seres vivos e, portanto, dotados de sentidos, enquanto ainda há tempo para isso.

Curar nosso mundo implica aprender, ainda que timidamente, a colocar nossas múltiplas inteligências a serviço da vida, da liberdade e da busca pela felicidade real, para nós e para as próximas gerações de seres. E não só para ocidentais, mas para todos os habitantes deste planeta, independentemente de em que continente ou ilha residam. Também não é somente para seres humanos, mas para todos os humanos no mundo natural – mais que humanos, aqueles a que os budistas costumam se referir como *seres sencientes*.

A senciência, no fim das contas, é a chave para nos conscientizarmos e despertarmos para o possível. Sem consciência, sem aprender a usar, refinar e habitar nossa mente, nossa capacidade genética de ver claramente e de agir de forma altruísta, tanto dentro de nós como indivíduos quanto dentro de nossas instituições – incluindo negócios, o Congresso e o Senado, a Casa Branca, governos e reuniões de países como as Nações Unidas e a União Europeia –, estaremos nos condenando à doença autoimune de nossa própria desatenção, da qual nasceram inúmeras levas de ilusão, desilusão, ganância, medo, crueldade, autoengano e, enfim, destruição vã e morte. É o ser humano, a espécie humana em si, a doença autoimune do planeta Terra. Somos o agente da doença e também sua primeira vítima. No entanto, esse não é o fim da história, de forma alguma. Pelo menos, ainda não. Agora, não.

Pois, enquanto estivermos respirando, ainda há tempo de escolher a vida e de refletir sobre o que essa escolha implica. Essa escolha é feita momento a momento, nos detalhes, não com uma abstração colossal ou intimidadora. É algo muito próximo à substância e ao substrato de nossa vida se desdobrando à sua maneira, internamente em nossos pensamentos e sentimentos e externamente em nossas palavras e nossos atos, momento a momento.

O mundo precisa de todas as flores como elas são, embora elas só floresçam por um brevíssimo momento, que chamamos de vida. Nosso trabalho é descobrir, uma por uma e coletivamente, quais flores somos, compartilhar nossa beleza única com o mundo durante o tempo precioso que temos e deixar a nossos filhos e netos um legado de sabedoria e compaixão incorporados na forma como vivemos, em nossas instituições, e em honrar nossa interconectividade, em casa e ao redor do mundo. Por que não arriscar defender firmemente a sanidade em nossa vida e em nosso mundo, o interno e o externo, como uma reflexão um do outro e de nosso talento como espécie?

Os esforços e as ações de criatividade e imaginação de cada um de nós contam, e o que está em jogo é nada menos que a saúde do mundo. Podemos dizer que o mundo está literal e metaforicamente morrendo para que nós, como espécie, nos conscientizemos, e a hora é agora. É o momento de acordarmos para a plenitude de nossa beleza, de continuarmos e ampliarmos o trabalho de nos curar e de curar nossas sociedades e nosso planeta, erguendo-nos sobre tudo o que é valioso e veio antes, mas está florescendo agora. Não há intenção pequena demais nem esforço insignificante. Cada passo no caminho conta. E, como você verá, cada um de nós conta. Como descrito no Prefácio, este é, agora, o primeiro de quatro volumes, cada um com uma Parte 1 e uma Parte 2. Durante todos os livros, costurei aqui e ali histórias de minha experiência. O objetivo é dar ao leitor uma sensação de paradoxo de como a prática de meditação é, por um lado, pessoal e particular e, por outro, impessoal e universal, superando qualquer trama egocêntrica de "minha" experiência e "minha" vida que o persistente hábito de personalizar da mente possa inventar. Trata-se de sentir o quanto é importante levar sua experiência a sério, mas não para o lado pessoal, e ter uma dose saudável de alegria e humor, especialmente diante do sofrimento colossal no qual estamos imersos por sermos humanos e da luz da efemeridade derradeira daquelas lentes de distorção chamadas nossas opiniões e visões – às quais tantas vezes nos agarramos tentando, em desespero, entender o mundo e nós mesmos.

Na Parte 1 deste volume, exploraremos o que a meditação é e não é, e o que cultivar o *mindfulness* envolve. A Parte 2 examina a origem de nosso sofrimento e "doença" e como prestar atenção de propósito e sem julgamento é, em si, libertador, como o *mindfulness* foi integrado à medicina e como ele revela novas dimensões de nossa mente e nosso coração, as quais podem ser profundamente restauradoras e transformadoras.

No Livro 2 (*Falling Awake*), a Parte 1 explora as "fugas de sentido" de nossa vida e como uma consciência mais ampla dos sentidos alimenta nosso bem-estar e enriquece nossa vida e nossas formas de conhecer e estar no mundo e em nosso interior. A Parte 2 dá ao leitor instruções detalhadas para cultivar o *mindfulness* por meio dos vários sentidos, usando uma gama de práticas formais de meditação. Assim, dá um gostinho de sua riqueza extraordinária, disponível a nós a cada momento.

No Livro 3 (*The Healing Power of Mindfulness*), a Parte 1 explora como o cultivo do *mindfulness* pode levar à cura e a maior felicidade por meio do que chamo de "rotação ortogonal da consciência", de forma que apreendemos e, depois, colocamos em ação no mundo[4]. A Parte 2 fala mais sobre o cultivo do *mindfulness* e dá uma série de exemplos de como ele pode afetar vários aspectos de nosso dia a dia, desde experimentar o lugar em que se está, passando por assistir ou não assistir ao Super Bowl, até "morrer antes de morrer".

No Livro 4 (*Mindfulness for All*), a Parte 1 examina o mundo da política e o estresse do mundo da perspectiva da medicina mente/corpo e mostra algumas formas de o *mindfulness* pode

---

[4] Não precisa se deixar intimidar pela palavra imponente. Só quer dizer "a 90 graus" em relação ao sistema de coordenadas que está sendo usado. Pense nisso como uma descrição de uma nova dimensão, além das convencionais com que estamos familiarizados, para nos dar uma perspectiva nova do todo, com base nessa maior dimensionalidade.

ajudar a transformar e expandir a saúde do corpo político e do mundo. A Parte 2 emoldura nossa vida e o desafio que enfrentamos no momento presente, no contexto e na perspectiva maiores de nossa espécie e nossa evolução no planeta. Também revela as dimensões escondidas do possível, que nos permitem viver de momento a momento e de dia a dia como se nossa vida realmente importasse.

Como dito antes, há uma progressão nos quatro volumes, de "o que" e do "porquê" do *mindfulness* até o "como" cultivá-lo em nossa vida e às razões pelas quais podemos nos motivar a fazer isso – em outras palavras, a "promessa" do *mindfulness* – à sua realização em como vivemos nossa vida de momento a momento. Espero que isso possa alimentá-lo.

Parte 1

Meditação

Não é o que você pensa

*O alcance do que pensamos e fazemos
é limitado pelo que deixamos de notar.*
R. D. Laing

Isso existe em mim... Não sei o que é... mas sei que existe em mim.
Walt Whitman

Meditação não é para quem tem coração fraco

É difícil falar da beleza eterna e da riqueza do momento presente quando as coisas acontecem tão rápido. Mas, quanto mais rápido as coisas acontecem, mais importante é a gente mergulhar ou até morar no eterno. Senão, podemos perder contato com dimensões de nossa humanidade que fazem toda a diferença entre felicidade e infelicidade, entre sabedoria e tolice, entre bem-estar e turbilhão erosivo na mente, no corpo e no mundo, ao qual vamos nos referir como "des-compasso".

Porque nosso descontentamento é verdadeiramente uma doença, um descompasso, mesmo quando não parece. Às vezes, nos referimos de maneira coloquial a esses tipos de sentimentos e condições, a esse "des-compasso" que sentimos tanto, como "estresse". Em geral, é doloroso. Pesa. E sempre carrega uma insatisfação subjacente.

Em 1979, comecei uma clínica de redução do estresse no Centro Médico da Universidade de Massachusetts. Pensando naquela era em retrospecto, há quase quarenta anos, me pergunto: "Que estresse?", de tanto que nosso mundo mudou desde então, de tanto que o ritmo da vida aumentou e os caprichos e perigos chegaram à nossa porta com nunca antes. Se há quarenta anos já era importante olhar diretamente para nossa situação e nossas circunstâncias pessoais a fim de encontrarmos formas novas e imaginativas de trabalhar com elas a serviço da saúde e da cura, é infinitamente mais urgente agora, habitando um mundo que foi jogado no caos e na velocidade aguçados no desdobramento dos acontecimentos, ao mesmo tempo que se tornou muito mais interconectado e muito menor.

Numa era tão exponencialmente acelerada e cada vez mais disruptiva, é mais importante e urgente do que nunca aprendermos a habitar o eterno e usá-lo para encontrar consolo e enxergar de maneira clara. Isso foi, desde o início, o enfoque do currículo de nossa Clínica de Redução do Estresse, o que hoje é conhecido como MBSR. Não estou falando de um futuro distante no qual, depois de anos de luta, você conquista algo, experimenta a beleza eterna da consciência meditativa e tudo o que ela oferece e, por fim, leva uma vida mais eficiente, satisfatória e pacífica em algum futuro fantasioso que pode ou não chegar. Refiro-me a acessar o eterno neste momento – porque ele sempre está bem debaixo de nosso nariz, por assim dizer – e, ao fazer isso, ganhar acesso às dimensões de possibilidades atualmente escondidas por recusarmos estar presentes, porque somos seduzidos, carregados, hipnotizados ou assustados pelo futuro e pelo passado, levados no fluxo dos eventos e nos padrões de clima de nossas próprias reações e nosso torpor, nos preocupando, senão nos obcecando, com o que muitas vezes sem pensar chamamos de "urgente", e ao mesmo tempo perdendo contato com o que é de fato importante, supremamente importante – aliás, vital para nosso bem-estar, para nossa saúde e para nossa sobrevivência. Fizemos da absorção no futuro e no passado um hábito tão predominante que, em boa parte do tempo, não temos nenhuma consciência do momento presente. Como consequência, podemos sentir que temos pouco ou nenhum controle sobre os altos e baixos de nossa vida e de nossa mente.

A frase de abertura da brochura em que descrevemos os retiros e os programas de treinamento de *mindfulness* que nosso instituto – o Centro de Mindfulness em Medicina, Saúde e Sociedade (CFM, na sigla em inglês) – oferece há muitos anos para empresários diz: "A meditação não é para quem tem coração fraco nem para quem rotineiramente evita os anseios sussurrados de seu próprio coração". Esses dizeres estão ali de propósito. O objetivo da afirmação é desencorajar de imediato a presença daqueles que não estão prontos para o eterno, que não compreenderiam nem abririam espaço suficiente em sua mente ou em seu coração para dar uma chance a tal experiência ou compreensão.

Se eles tivessem ido a um desses programas de cinco dias, provavelmente teriam se visto lutando contra sua própria mente o tempo todo, pensando que a prática de meditação não fazia sentido, era pura tortura, tediosa ao extremo, uma perda de tempo. Seria provável que ficassem tão presos em sua resistência e objeção que poderiam nunca encontrar uma forma de se acomodar nos momentos precisos e preciosamente breves que temos quando conseguimos nos reunir para explorar, dessa forma, nossa experiência verdadeira momento a momento.

E se as pessoas apareciam mesmo nesses retiros, podíamos supor que era ou por causa daquela frase, ou apesar dela. De toda forma – ao menos era o que dizia nossa estratégia –, haveria uma disposição implícita, senão intrépida, da parte de quem de fato aparecia, a explorar a paisagem interior da mente e do corpo e o reino do que os antigos taoistas e mestres Chan chineses chamam de *não fazer*. É o domínio da meditação, em que parece que nada ou quase nada está acontecendo ou sendo feito, mas, ao mesmo tempo, nada de importante fica por fazer – e, como consequência, essa energia misteriosa de um não fazer aberto e consciente pode se manifestar de formas incríveis no mundo do fazer.

Claro, quase todos evitamos os anseios sussurrados de nosso coração enquanto seguimos o fluxo do fazer da vida, em especial porque nossa atenção é exigida em muitas direções diferentes e acabamos cada vez mais distraídos. E decerto não estou sugerindo que meditação seja sempre fácil ou agradável. É simples, mas, com certeza, não é sempre fácil. Não é fácil encontrar alguns momentos para praticar formal e regularmente em uma vida ocupada, quanto mais lembrar que o *mindfulness* nos está disponível, pode-se dizer, de maneira "informal", em todo e cada momento que se desdobra em nossa vida. Às vezes, contudo, já não podemos ignorar essas intimações de nosso coração. E em determinadas ocasiões, de alguma forma, nos vemos compelidos a aparecer em lugares aos quais não iríamos, misteriosamente atraídos para onde talvez vivemos quando crianças, ou à natureza, ou a um retiro de meditação, ou a um livro, ou a uma aula, ou a uma conversa que pode oferecer àquele lado há muito ignorado de nós uma chance de se abrir ao sol, de ser visto e ouvido e sentido e conhecido e habitado por nós, pelo anseio de longa data que nosso coração tem de conhecer a si mesmo.

A aventura oferecida pelo universo do *mindfulness* é uma das possíveis avenidas para as dimensões de seu ser que podem, talvez, ter sido ignoradas, desassistidas ou negadas por muito tempo. O *mindfulness*, como veremos, tem uma capacidade rica de influenciar o desdobramento de nossa vida. Segundo a mesma medida, ele tem uma igual capacidade de influenciar o mundo mais amplo dentro do qual estamos organicamente inseridos, incluindo nossa família, nosso trabalho, a sociedade como um todo e como nos vemos enquanto povo, o que estou chamando de corpo político, e o corpo do mundo, todos nós juntos neste planeta. E tudo isso pode acontecer por meio de sua própria experiência da prática de *mindfulness*, por virtude dessa própria incorporação e das relações recíprocas entre interior e exterior e entre ser e fazer.

Pois não há dúvida de que estamos organicamente inseridos na rede da própria vida e na rede do que podemos chamar de mente, uma essência invisível e intangível que permite a senciência, a consciência e a potencial percepção para transformar ignorância em sabedoria e discordância em reconciliação e acordo. A consciência é um porto seguro no qual podemos nos recuperar e descansar em harmonia, tranquilidade, criatividade e alegria vitais agora, não em algum futuro longínquo e desejado em que as coisas são "melhores" e conseguimos controlar tudo ou "melhoramos". Por mais estranho que pareça, nossa capacidade de *mindfulness* nos permite experimentar e incorporar aquilo que mais desejamos, que mais nos foge e que, curiosamente, está sempre mais perto, uma maior estabilidade e paz de espírito e tudo o que vem junto, em todo e cada movimento disponível.

No microcosmo, a paz não está mais longe do que este exato momento. No macrocosmo, a paz é algo que quase todos nós, coletivamente, desejamos de uma forma ou de outra, em especial se for acompanhada de justiça e do reconhecimento de uma diversidade intrínseca dentro de nossa totalidade maior e da humanidade e dos direitos inatos de todos. A paz é algo que podemos fazer acontecer se conseguirmos de fato aprender a despertar um pouco mais como indivíduos e muito mais como espécie; se conseguirmos aprender a ser o que de fato somos por completo; a residir no potencial inerente do que é possível para nós, seres humanos. Como diz o ditado, "não há caminho para a paz; a paz é o caminho". É assim para a paisagem externa do mundo. É assim para a paisagem interna do coração. E estas, de forma profunda, não são duas coisas separadas.

Como o *mindfulness*, que pode ser considerado uma consciência franca, momento a momento, sem julgamento, é cultivado de modo mais eficiente por meio da meditação, e não só pensando e filosofando, e como sua articulação mais elaborada e completa vem da tradição budista, na qual ele costuma ser descrito como *o coração da meditação budista*, escolhi dizer aqui e ali algumas coisas sobre o budismo e sua relação com a prática do *mindfulness*. Faço isso para podermos colher algum entendimento e benefício do que essa tradição extraordinária oferece ao mundo neste momento da história, com base em sua incubação em nosso planeta, em muitas culturas diferentes, nos últimos 2.600 anos.

Em minha visão, o budismo em si não é o ponto. Podemos pensar em Buda como um gênio de sua era, um grande cientista, e, uma figura tão imponente quanto Darwin ou Einstein e que, como gosta de dizer o acadêmico budista Alan Wallace, só tinha à disposição como instrumento a própria mente e buscou examinar profundamente a natureza do nascimento e da morte e a aparente inevitabilidade do sofrimento. Para prosseguir com suas investigações, ele teve primeiro de entender, desenvolver, refinar e aprender a calibrar e estabilizar o instrumento que estava usando para esse propósito, ou seja, sua própria mente, da mesma forma que cientistas de laboratório, hoje, têm de continuamente desenvolver, refinar, calibrar e estabilizar os instrumentos que empregam para estender seus sentidos – não importa se estamos falando de radiotelescópios ou telescópios ópticos gigantes, microscópios eletrônicos, aparelhos de ressonâncias magnéticas funcionais ou de tomografia por emissão de pósitrons – a fim de examinar de forma profunda e explorar a natureza do Universo e a vasta gama de fenômenos interconectados que se desdobram nele, seja no campo da física e dos fenômenos físicos, da química, da biologia, da psicologia, seja em qualquer outro.

Para enfrentar esse desafio, Buda e aqueles que seguiam seus passos começaram a explorar questões profundas sobre a natureza da própria mente e da vida. Seus esforços de auto-observação levaram a descobertas incríveis. Ele conseguiu mapear com precisão um território humano em sua essência, que tem a ver com aspectos da mente que todos temos em comum, independentemente de pensamentos, crenças e culturas. Os dois métodos que usaram e os frutos dessas investigações são universais e não têm nada a ver com "ismos", ideologias, religiosidades nem sistemas de crenças. Essas descobertas são mais parecidas com compreensões médicas e científicas, modelos que podem ser examinados por qualquer um em qualquer lugar e testados de forma independente, que foi o que Buda sugeriu a seus seguidores desde o início.

Como praticante e instrutor de *mindfulness*, tenho a experiência recorrente de as pessoas suporem que sou budista. Quando me perguntam, costumo responder que não sou budista (embora pratique de vez em quando, em retiros, com professores budistas e tenha muito respeito e amor por diferentes tradições e práticas budistas), mas sou estudante da meditação budista e dedicado não porque seja devoto do budismo em si, mas por ter descoberto que seus ensinamentos e suas práticas são muito profundos e de aplicação universal, iluminadores e curadores[5]. Descobri isso em minha vida nos últimos cinquenta e tantos anos de prática contínua, e também na vida de muitos outros com quem tive o privilégio de trabalhar e praticar por meio do CFM e sua rede global de professores de MBSR. E continuo a me emocionar e me inspirar profundamente com esses professores e não professores – orientais e ocidentais – que incorporam a sabedoria e a compaixão inerentes nesses aprendizados e nessas práticas na própria vida.

Para mim, a prática de *mindfulness* é, na verdade, um caso de amor, um caso de amor com o que é mais fundamental na vida, um caso de amor com o que existe, com o que podemos chamar de verdade, que, para mim, inclui a beleza, o desconhecido e o possível, como as coisas são de fato, tudo incorporado aqui, neste momento – pois já está tudo aqui – e ao mesmo tempo em todo lugar, porque aqui pode ser qual-

---

[5] Ver, por exemplo, o *best-seller* recente e improvável *Why Buddhism Is True* [Por que o budismo é verdadeiro], de Robert Wright, 2017.

quer lugar. O *mindfulness* também é sempre agora, porque, como já mencionamos, e como citaremos mais várias vezes, para nós, simplesmente não há outro momento. Aqui e agora, em todo lugar e sempre, temos muito espaço para trabalharmos juntos, isto é, se você estiver interessado e disposto a arregaçar as mangas e fazer o trabalho do eterno, o trabalho do não fazer, o trabalho da consciência incorporada em sua vida enquanto ela se desenrola momento a momento. É, de fato, um trabalho que não exige tempo nenhum e que leva a vida toda.

Nenhuma cultura e nenhuma forma de arte têm monopólio da verdade nem da beleza, em grande ou pequena escala. No entanto, para a exploração que vamos fazer juntos nestas páginas e em nossa vida, acho útil e iluminador buscar o trabalho das pessoas especiais que se dedicam à linguagem da mente e do coração que chamamos de poesia. Nossos grandes poetas se engajam em profundas explorações da mente e das palavras e da relação íntima entre paisagens interiores e exteriores, e nossos maiores iogues e professores das tradições meditativas também. Aliás, não é incomum, nessas tradições, que momentos de iluminação e *insight* sejam expressos em poesia. Tanto iogues quanto poetas são exploradores intrépidos de como as coisas são; são guardiães articulados do possível.

As lentes de aumento que a boa poesia nos oferece, como toda arte autêntica, têm o potencial de melhorar nossa visão e, ainda mais importante, nossa capacidade de sentir a pungência e relevância de nossa própria situação, nossa própria psique e nossa própria vida, de formas que nos ajudam a compreender onde a prática de meditação talvez nos peça para olhar e ver, o que nos pede para nos abrir e, acima de tudo, o que torna possível sentirmos e sabermos. A poesia emana de todas as culturas e tradições deste planeta. Podemos dizer que nossos poetas são os mantenedores da consciência e da alma da humanidade, que têm exercido esse papel através das eras. Eles falam muitos aspectos da verdade aos quais vale a pena prestar atenção, que devemos contemplar. Norte-americanos, centro-americanos, sul-americanos, chineses, japoneses, europeus, turcos, persas, indianos ou africanos, cristãos, judeus, islâmicos, budistas, hindus ou jainistas, animistas ou clássicos, mulheres e homens, antigos e modernos, homossexuais e heterossexuais, transexuais ou *queers*, todos podem, sob as circunstâncias certas, quando estão mais abertos e disponíveis, dar-se um misterioso presente que vale a pena explorar, saborear e valorizar. Eles nos dão novas lentes com as quais enxergar e passar a nos conhecer, ao longo das culturas e épocas, oferecendo algo mais fundamental, algo mais humano que o esperado ou o já conhecido. Enxergar através dessas lentes nem sempre é confortável. E talvez esses sejam os poemas com os quais mais precisamos permanecer, pois revelam todo o espectro sempre mutante de luz e sombra que passa na tela de nossa mente e se move na corrente subterrânea de nosso coração. Em seus melhores momentos, os poetas articulam o inexpressível e, por alguma graça misteriosa concedida por mente e coração, são transfigurados em mestres das palavras além das palavras, o inexprimível forjado, criado e apontado, trazido à vida em parte por nossa própria participação. Poemas são animados quando chegamos a eles e deixamos que eles venham a nós naquele momento de ler ou ouvir em que nos penduramos com toda a nossa sensibilidade e inteligência em cada palavra, cada acontecimento ou momento evocado, cada inspiração usada para evocá-los, cada imagem a que se recorre com vivacidade e arte, tudo isso nos levando além do artifício, de volta a nós mesmos e às coisas como elas são.

Para isso, faremos ocasionalmente uma pausa em nossa jornada juntos por esses quatro livros a fim de nos banharmos nessas águas de clareza e angústia. Assim, seremos também banhados pelos esforços ineluctáveis da humanidade que deseja se conhecer, se lembrar do que já sabe (às vezes, até com sucesso) e, num ato profundamente amistoso e, por fim, incrivelmente generoso – embora quase nunca feito com esse propósito –, apontando as formas possíveis de aprofundar nossa vida, nossa visão, nosso sentimento e talvez, portanto, apreciando mais, e até celebrando, quem e o que somos e o que podemos nos tornar.

*

Meu coração desperta
   pensando em trazer notícias
     de algo

que diz respeito a ti
 e a muitos homens. Veja
   o que se passa por novo.

Tu não encontrarás lá, mas nos
  poemas desprezados.
    É difícil

tirar o novo dos poemas
  mas os homens morrem miseravelmente todos os dias
    por falta

do que se encontra ali.

WILLIAM CARLOS WILLIAMS

*

Lá fora, a noite congelante do deserto.
Esta outra noite é quente, queima.
Deixe a paisagem ser coberta por uma crosta espinhosa.
Temos um jardim suave ali.
Os continentes explodiram,
cidades e vilarejos, tudo
se torna uma bola chamuscada e enegrecida.

*A notícia que ouvimos é cheia de luto por aquele futuro,
mas a verdadeira notícia aqui dentro
é que não há notícia alguma.*

RUMI
*Traduzido com base na versão em inglês de Coleman Barks
com John Moyne*

Testemunhando a integridade hipocrática

Estou deitado no chão acarpetado da espaçosa e novíssima Sala de Reunião de Professores do Centro Médico da UMass com um grupo de cerca de quinze pacientes à luz minguante de uma tarde no fim de setembro de 1979. É a primeira aula do ciclo inicial do Programa de Redução do Estresse e Relaxamento – que mais tarde se tornaria conhecido como a Clínica de Redução do Estresse, ou Clínica de MBSR –, que tinha acabado de ser lançado ali. Estou guiando uma meditação deitada estendida conhecida como leitura do corpo, que está na metade. Estamos todos deitados com as costas apoiadas em colchões de espuma encapados com tecidos recém--comprados de várias cores vivas, agrupados em um canto da sala para todos ouvirem melhor minhas instruções.

No meio de um longo silêncio, a porta da sala se abre de repente, e um grupo de cerca de trinta pessoas usando jalecos entra. Liderando, um senhor alto e elegante. Ele caminha até onde estou deitado e olha para mim, esticado no chão com uma camiseta preta e calças de judô pretas, descalço, depois, ele olha ao redor da sala, com uma cara confusa e perplexa.

Olha de novo para mim e, após uma longa pausa, finalmente diz:

— O que está acontecendo aqui?

Continuo deitado, assim como o resto da turma. Todos parecendo cadáveres em seus colchões coloridos, a atenção suspensa em algum lugar entre os pés, onde tínhamos começado, e o topo da cabeça, para onde estávamos nos dirigindo, com os jalecos pairando silenciosamente nas sombras atrás daquela presença imponente.

— Este é o novo programa de redução de estresse do hospital — respondo, ainda deitado ali, perguntando-me o que diabos estava acontecendo.

Ele replica:

— Bem, temos uma reunião conjunta especial do corpo docente cirúrgico com o corpo docente de todos os nossos hospitais afiliados, e reservamos especificamente esta sala de reuniões para esse propósito há algum tempo.

Nesse ponto, eu me levanto. Minha cabeça bate mais ou menos no ombro dele. Apresento-me e digo:

— Não consigo imaginar como aconteceu essa confusão. Chequei mais de uma vez com o departamento de agendamentos para garantir que a sala estivesse reservada para nossas aulas de quarta à tarde durante as próximas dez semanas neste horário, das quatro às seis da tarde.

Ele me examinou de cima a baixo, muito mais alto que eu, com seu jaleco comprido com o nome bordado em azul na frente: H. Brownell Wheeler, MD, chefe de cirurgia. Nunca havia me visto antes e com certeza não tinha ouvido falar desse novo programa. Devíamos ser uma visão e tanto, sem meias nem sapatos, muitos de moletom e roupas de ginástica, deitados na sala de reuniões do corpo docente. E lá estava uma das pessoas mais poderosas do centro médico, com o relógio correndo em sua agenda ocupada e uma reunião especial para conduzir[6], encontrando algo completamente inesperado e, bizarro, liderado por alguém com quase nenhuma hierarquia no centro médico.

Ele olhou ao redor mais uma vez, viu todos os corpos no chão, alguns, nesse ponto, apoiados nos cotovelos para entender o que estava acontecendo. E, aí, ele fez uma pergunta:

— Essas pessoas são nossos pacientes? — Quis saber, olhando para os corpos no chão.

— Sim — respondi. — São.

— Então, vamos achar outro lugar para fazer a nossa reunião — avisou ele, dando meia-volta e levando o grupo todo para fora da sala. Eu o agradeci, fechei a porta atrás dele e voltei ao chão para continuar nosso trabalho.

Essa foi minha apresentação a Brownie Wheeler. E eu soube, naquele momento, que ia gostar de trabalhar naquele centro médico.

Anos mais tarde, depois de Brownie e eu termos nos tornado amigos, lembrei-o daquele episódio e disse como eu tinha ficado impressionado com a demonstração de respeito em relação aos pacientes do hospital. Como sempre, ele não achou grande coisa. Simplesmente, não havia meio-termo no princípio de que os pacientes vêm em primeiro lugar, independentemente de qualquer coisa.

Nesse ponto, eu sabia que ele próprio praticava meditação e compreendia profundamente o poder da conexão mente-corpo e seu potencial de transformar a medicina. Tinha sido um apoiador firme da clínica de redução do estresse por mais

---

6 Fiquei sabendo muito depois que essa reunião tinha sido marcada para debater e, quem sabe, acabar com pelo menos um pouco do atrito que tinha aparecido entre o centro médico, relativamente novo, e os hospitais comunitários locais em relação a acabar com os programas de residência cirúrgica individuais dos hospitais comunitários e criar um único programa "integrado" na UMass, o que gerou bastante ressentimento em relação à UMass. Então, o dr. Wheeler precisava que a reunião fosse bem, e era importante que ela acontecesse naquele espaço muito convidativo e agradável.

de duas décadas. Então, tendo se retirado do cargo de chefe de cirurgia, ele se tornou um líder no movimento para levar dignidade e gentileza ao processo da morte, antes de, anos mais tarde, sucumbir ao mal de Parkinson. A pedido de sua filha, nos reconectamos por telefone, eu conversando por nós dois, alguns dias antes de ele falecer.

O fato de ele não ter usado sua autoridade para dominar a situação naquele fim de tarde no auge de sua vida e de seu poder no centro médico indicou que eu tinha acabado de testemunhar e ser beneficiário de algo raríssimo em nossa sociedade: sabedoria e compaixão incorporadas. O respeito que ele mostrou aos pacientes naquele dia era exatamente o que a prática de meditação em que estávamos quando a porta da sala de reuniões se abriu pretendia alimentar: uma aceitação profunda e sem julgamentos de nós mesmos e o cultivo de nossas próprias possibilidades de transformação e cura. O gesto gracioso do dr. Wheeler naquela tarde foi um bom augúrio sobre honrar os antigos princípios hipocráticos da medicina, tão desesperadamente necessários neste mundo de tantas formas, mais do que como simples belas palavras. Não se disse nenhuma bela palavra. E nada ficou sem ser dito.

A meditação está em todo lugar

Imagine o seguinte: pacientes meditando e fazendo ioga em hospitais e centros médicos ao redor do mundo, a pedido de seus médicos. Às vezes, são até os médicos que estão ensinando; em outras situações, os médicos estão participando do programa e meditando lado a lado com seus pacientes.

Andries Kroese, um cirurgião vascular proeminente em Oslo que praticava meditação havia trinta anos e frequentava retiros de vipassana[7] na Índia periodicamente, foi à Califórnia participar de um retiro de sete dias para profissionais de saúde que queriam treinamento em MBSR. Pouco depois de voltar para casa, ele decidiu fazer menos cirurgias e usar o tempo livre para ensinar meditação a colegas e pacientes na Escandinávia, repassando uma paixão que cultivava fazia anos. En-

---

7 Meditação *mindfulness* na tradição budista teravada.

tão, escreveu em norueguês um livro popular sobre redução de estresse baseada em *mindfulness*, que se tornou um *best-seller* na Noruega e na Suécia. Ele continua trabalhando com isso mais de uma década depois.

Howard Nudelman, um cirurgião do El Camino Hospital em Mountain View, Califórnia, me ligou um dia. Apresentou-se dizendo que tinha melanoma e que temia não contar com muito tempo para viver. Disse que estava familiarizado com a meditação e achava, pessoalmente, que mudara sua vida. Depois de conhecer meu livro *Viver a catástrofe total*, contou, ele percebera que já havíamos encontrado uma forma de fazer o que ele estava sonhando havia algum tempo, ou seja, levar a meditação para a medicina tradicional. Falou que queria facilitar isso em seu hospital, no tempo que ainda tivesse. Um mês depois, ele trouxe uma equipe de médicos e administradores para nos visitar. Ao voltar, eles criaram um programa de MBSR liderado por um incrível professor de *mindfulness*, Bob Stahl, que levou outros professores maravilhosos conforme o programa cresceu. O programa, aliás, ainda existe, mais de vinte anos depois. Howard nunca se deu ao trabalho de contar que era presidente do conselho de um grupo que buscava construir um centro para retiros de meditação *mindfulness* na Bay Area (que acabou se tornando o Centro de Meditação Spirit Rock em Woodacre, Califórnia). Ele morreu um ano depois de sua visita. Brownie Wheeler, a quem eu o tinha apresentado durante a visita do grupo, fez o discurso de inauguração do Howard Nudelman Memorial no El Camino Hospital no fim daquele ano.

O El Camino, hoje, é um dos inúmeros hospitais, centros médicos e clínicas na Bay Area de São Francisco a oferecer MBSR, incluindo, à época da escrita, muitos do sistema Kaiser Permanente no norte da Califórnia. O Kaiser até oferece treinamento de *mindfulness* para seus médicos e sua equipe, além de seus pacientes. Programas de MBSR estão florescendo de Seattle a Miami, de Worcester, Massachusetts, onde começou, a San Diego, Califórnia, de Whitehorse,

Yukon Territory, a Vancouver, Calgary, Toronto e Halifax, de Pequim e Xangai a Hong Kong e Taiwan, da Inglaterra e do País de Gales a quase toda a Europa, do México à Colômbia e à Argentina. Há programas na Cidade do Cabo, na África do Sul, na Austrália e na Nova Zelândia. Há programas antigos de MBSR nos centros médicos de Duke, Stanford, Universidade de Wisconsin, Universidade de Virginia, a Faculdade de Medicina de Jefferson e outros centros médicos importantes pelos Estados Unidos. Cada vez mais cientistas estão conduzindo estudos clínicos sobre as aplicações do *mindfulness* tanto na medicina quanto na psicologia.

No início dos anos 2000, inspirados na MBSR e usando-a de exemplo, três terapeutas e pesquisadores cognitivos desenvolveram a MBCT, que, segundo a comprovação de diversos estudos clínicos, reduz drasticamente a taxa de recaída em pessoas que sofrem de transtorno depressivo maior. Também se provou que para evitar recaídas a MBCT era pelo menos tão eficaz quanto a própria terapia com antidepressivos. Esse programa gerou enorme interesse em psicologia clínica e levou novas gerações de psicólogos e psicoterapeutas a adotar a prática de *mindfulness* na própria vida e aplicarem-na em seu trabalho clínico e suas pesquisas. (Ver o capítulo intitulado "Não dá para chegar lá a partir daqui") em *The Healing Power of Mindfulness* (terceiro livro desta série).

Quarenta anos atrás, era quase inconcebível que a meditação e a ioga encontrassem qualquer lugar legítimo, quanto mais aceitação ampla, em centros médicos e hospitais acadêmicos. Hoje, isso é considerado normal. Certamente, não se pensa que é medicina alternativa. Em vez disso, é mais um elemento da prática da boa medicina. Cada vez mais, programas de *mindfulness* estão disponíveis para estudantes de medicina e equipes de hospitais, duas categorias que, infelizmente, passam por muito estresse.

Há até programas, em alguns hospitais, que ensinam meditação a pacientes na unidade de transplante de medula, um dos tratamentos médicos mais tecnologicamente avançados e invasivos. A pioneira nisso foi minha antiga colega na Clínica de Redução do Estresse, Elana Rosenbaum, que passou por um transplante de medula quando foi diagnosticada com linfoma e surpreendeu tanto a equipe e os médicos da unidade com a qualidade de seu ser – sendo que as complicações que experimentou após o tratamento a levaram à beira da morte – que muitos quiseram fazer o programa e aprender a praticar *mindfulness* por si e para oferecer a seus pacientes na unidade. Há programas de MBSR para residentes de áreas pobres e sem-teto. Há programas de *mindfulness* para pacientes com dor, pacientes com câncer e pacientes cardíacos. Agora, há MBCP (na sigla em inglês, parto e criação baseados em *mindfulness*), desenvolvido pela professora de MBSR e parteira Nancy Bardacke para futuros pais e baseado no Centro Osher de Medicina Integrada na UCSF. Muitos pacientes não esperam mais seus médicos sugerirem MBSR e outros programas baseados em *mindfulness*. Hoje em dia, eles pedem ou simplesmente vão sozinhos.

A meditação *mindfulness* também é ensinada em escritórios de advocacia e, algumas vezes, foi oferecida a alunos de direito em Yale, Columbia, Harvard, Missouri, Gainesville e outras instituições. Minha colega Rhonda Magee, professora de direito na Universidade de São Francisco, desenvolveu cursos robustos de *mindfulness* para advogados e estudantes de direito, também voltados a minimizar o viés de identidade social. Um simpósio pioneiro sobre *mindfulness* e a lei e resolução de conflitos alternativa aconteceu na Escola de Direito de Harvard em 2002, e os artigos apresentados foram publicados numa edição da *Harvard Negotiation Law Review* no mesmo ano. Há todo um movimento, agora, dentro da profissão, em que os próprios advogados ensinam ioga e meditação em escritórios de advocacia proeminentes. Um advogado sênior, vestido de terno e gravata, apareceu recentemente na capa da revista *Boston Globe Sunday Magazine* fazendo a postura da árvore e sorrindo – descalço – num artigo sobre "O novo advogado (mais gentil e delicado)".

O que está acontecendo?

Como mencionei, empresários e, hoje, cada vez mais líderes da área de tecnologia frequentam retiros de cinco dias rigorosos que começam às seis da manhã, todos os dias, e só terminam tarde da noite. Sua motivação: mudar o mundo, regular seus níveis de estresse e trazer mais consciência à vida dos negócios e aos negócios da vida. Muitas escolas e sistemas escolares pioneiros, como em Flint, Michigan, estão instituindo programas de *mindfulness* nos níveis fundamental, e médio. Há grupos como o Mindful Schools, o Mindfulness in Schools e o Treinamento On-line de Educação *Mindful* de Daniel Rechtschaffen para professores, todos fazendo um trabalho impressionante e vendo resultados profundos tanto nos professores quanto nos alunos da educação secundária. Na área do esporte, durante a era de Phil Jackson como treinador do Chicago Bulls, o time treinava e praticava *mindfulness* guiado por George Mumford, que liderou nosso projeto para prisões no CFM e também foi cofundador de nossa clínica de MBSR para habitantes de regiões pobres. Quando Jackson se mudou para Los Angeles para treinar os Lakers, eles também praticaram *mindfulness*. Os dois times foram campeões da NBA, os Bulls seis vezes (três com George) e os Lakers cinco (todas com George)[8]. Agora, são os campeões Golden State Warriors que adotaram o *mindfulness* como parte de sua abordagem de jogo, encorajados por seu técnico, Steve Kerr, que foi exposto à prática quando estava nos times campeões do Bulls. Prisões oferecem programas de meditação aos encarcerados e à equipe em locais como os Estados Unidos, Reino Unido e Índia.

Num verão, tive oportunidade de liderar com o pescador, praticante de zen budismo e agora professor de MBSR do Alasca Kurt Hoelting, do Inside Passages, um retiro de meditação para ativistas ambientais, a programação incluía, além da meditação sentada, ioga, caminhada *mindful* e uma boa

---

8 Ver Mumford, G. *The Mindful Athlete: Secrets to Pure Performance* (Parallel Press, Berkeley, CA), 2015.

quantidade de caiaque *mindful*. O retiro acontecia nas ilhas externas isoladas da vasta região selvagem de Tebenkof Bay no sudeste do Alasca, às quais se chega de hidroavião. Quando voltamos à cidade depois de oito dias, a matéria de capa da revista *Time* (4 de agosto de 2003) era sobre meditação. O fato de ser uma matéria de capa com descrições detalhadas sobre os efeitos da meditação no cérebro e na saúde era um indicador de como a meditação havia entrado na cultura *mainstream* e sido abraçada por ela. Já não era uma atividade marginal, de muito poucos ou dos facilmente desprezados como loucos. Houve outra matéria de capa da *Time* sobre *mindfulness* e MBSR em 2014. Nesta, o fenômeno foi anunciado como "a revolução do *mindfulness*".

De fato, os centros de meditação estão surgindo por todo lugar, oferecendo retiros, aulas, oficinas e até sessões para fazer a caminho do trabalho, e cada vez mais pessoas os procuram para aprender e praticar juntas. A ioga nunca foi tão popular e, hoje, está sendo apaixonadamente adotada por crianças e idosos e todos mais. Há fóruns *on-line* de *mindfulness*, na ponta dos dedos, com muitos apresentadores habilidosos e experientes, além de ótimos *podcasts* para ajudar quem está interessado a se aprofundar em *mindfulness* por diferentes perspectivas, incluindo neurociência, medicina e saúde, além de psicologia.

O que está acontecendo?

Seria possível dizer que estamos nos primeiros estágios de despertar, como cultura, para o potencial da profunda intimidade com a interioridade, para o poder de cultivar a consciência e aprender a habitar a imobilidade e o silêncio. Começamos a perceber o poder do momento presente para nos trazer maior claridade e *insight*, maior estabilidade emocional e sabedoria, uma sabedoria incorporada que podemos levar para o mundo, para nossa família e nosso trabalho, para a sociedade mais ampla e para o domínio do global. Ou seja, meditação não é mais algo estranho e exótico à nossa cultura. É, agora, tão comum quanto qualquer outro hábito. Ou inglês, ou francês, ou italiano, ou sul-americano. Ela chegou. E já era em tempo, dado o estado do mundo, bem como as enormes forças que afetam nossa vida. Pode ser só (e eu gosto de pensar que é) o início de uma Renascença do despertar, da compaixão e da sabedoria se expressando globalmente por um número infinito de formas.

No entanto, tenha em mente uma coisa... é mais do que você pensa!

Momentos originais

Houve uma época, do início ao fim dos anos 1970, em que estudei com um mestre zen coreano chamado Seung Sahn. O nome dele, literalmente, quer dizer "montanha alta", o nome da montanha na China onde, consta-se, o sexto Patriarca do Zen, Hui Neng, atingiu a iluminação. Nós o chamávamos de Soen Sa Nim, que só muito mais tarde descobri que significava "honrado professor de zen". Não acho que, na época, nenhum de nós sabia o que queria dizer. Era só o nome dele.

Ele tinha vindo da Coreia e, de alguma forma, acabado em Providence, Rhode Island, onde alguns alunos da Universidade Brown o "descobriram", de forma improvável (como, depois descobrimos, quase tudo nele era improvável) consertando máquinas de lavar numa pequena loja de propriedade de alguns outros coreanos. Esses alunos organizaram um grupo informal para descobrir o que aquele cara pensava e tinha a oferecer. Essas reuniões informais acabaram dando origem a muitos outros centros ao redor do mundo, que apoiavam os ensinamentos de Soen Sa Nim. Ouvi falar dele por um aluno meu em Brandeis e fui até Providence um dia para vê-lo.

Havia algo absolutamente fascinante em Soen Sa Nim. Primeiro, ele era um mestre zen (o que quer que fosse isso) que estava consertando máquinas de lavar e parecia muito feliz com essa função. Ele tinha um rosto perfeitamente redondo que era, de maneira desconcertante, aberto e cativante. Era muito presente, extremamente genuíno, sem aparências, sem vaidade. Tinha a cabeça raspada por completo (ele chamava o cabelo de "grama da ignorância" e dizia que os monges tinham de cortá-lo regularmente). Também vestia chinelos de borracha brancos engraçados que pareciam pequenos barcos (monges coreanos não usam couro porque vem dos animais) e, no início, ficava a maior parte do tempo de roupa de baixo, embora, quando ensinasse, usasse robes cinza e um *kesha* marrom simples, um quadrado de material liso costurado com muitos pedaços de tecido que ele pendurava ao redor de seu pescoço e descansava no peito, simbólico, no zen, dos robes esfarrapados dos primeiros praticantes do zen na China. Ele tinha roupas mais elegantes e coloridas para ocasiões especiais e cerimônias, confeccionadas para a comunidade budista coreana local.

Sua forma de falar era incomum, em parte, porque, no começo, ele não sabia muitas palavras em inglês e, em parte, porque desconhecia a gramática americana completamente. Portanto, Soen Sa Nim falava uma espécie de inglês coreano ruim que fazia seus argumentos serem transmitidos de formas simplesmente inacreditáveis, os quais entravam na mente do ouvinte com um frescor deslumbrante, porque nossa mente nunca tinha ouvido um pensamento como aquele, então, não conseguia processá-lo da maneira que em geral acontece com o que ouvimos. Como tende a acontecer em tais circunstâncias, muitos de seus alunos começaram a falar daquele jeito entre si, num inglês ruim, dizendo, uns aos outros, coisas como "Vá só direto, não cheque sua mente", "A flecha já está no centro da cidade", "Larga isso, só larga isso" e "Você já entende", coisas que faziam sentido para eles, mas soavam insanas para qualquer outra pessoa.

Soen Sa Nim tinha talvez 1,78 metro e não era magro, mas também não era gordo. Talvez, o adjetivo corpulento o descreva melhor. Ele parecia não ter idade, mas, provavelmente, tinha mais de 40 anos. Era conhecido e muito respeitado na Coreia, dizia-se; porém tinha escolhido ir para os Estados Unidos levar seus ensinamentos para o centro da ação. A juventude norte-americana no início dos anos 1970 decerto tinha muita energia e entusiasmo pelas tradições meditativas orientais, e ele fazia parte de uma grande onda de professores de meditação asiáticos que foram para os Estados Unidos nos anos 1960 e 1970. Para ter um gostinho dos ensinamentos dele, procure *Dropping Ashes on the Buddha* [Jogando cinzas no Buda], por Stephen Mitchell.

Soen Sa Nim costumava começar as palestras públicas usando o bastão "zen", que em geral estava ao alcance de suas mãos, feito de uma saliência de galho de árvore nodoso e retorcido, altamente polido, no qual ele às vezes apoiava o queixo enquanto olhava para a plateia e, levantando-o no ar horizontalmente acima de sua cabeça, gritava:

"Estão vendo isto?"

Longo silêncio. Olhares confusos. Então, ele o batia com força no chão ou numa mesa. Era um golpe forte.

"Estão ouvindo isto?"

Longo silêncio. Olhares confusos. Então, ele começava sua palestra. Muitas vezes, não explicava aquela artimanha da abertura, mas a mensagem, lentamente, se tornava clara, ainda que só depois de vê-lo fazendo aquilo várias e várias vezes. Não é necessário complicar as coisas no que diz respeito a meditação ou *mindfulness*. O objetivo da meditação não é desenvolver uma linda filosofia de vida ou da mente. Não tem nada a ver com pensar, mas com simplificar as coisas.

Agora, neste momento, você está vendo? Está ouvindo? Esse ver, esse ouvir, quando não enfeitados, são a recuperação da mente original, livre de todos os conceitos, inclusive "mente original". E já estão aqui. Já são nossos. Aliás, é impossível perdê-los.

Se você vê o bastão, quem está vendo? Se ouve a batida, quem está ouvindo? No momento inicial de ver, só há o ver, antes de o pensamento se acomodar e a mente secretar pensamentos como: *O que será que ele quer dizer?/ É claro que eu vejo o bastão./ É um bastão e tanto./ Acho que nunca vi um bastão assim./ Onde será que ele o conseguiu?/ Talvez na Coreia./ Seria legal ter um bastão assim./ Entendi o que ele está fazendo com o bastão./ Será que mais alguém entendeu?/ É bem legal./ Uau!/ Meditação é uma doideira./ Talvez eu goste mesmo disto./ Como será que eu ficaria com um desses robes?*

Ou, ao ouvir o golpe alto: *Que modo peculiar de começar uma palestra./ É claro que eu ouço o som./ Ele acha que nós somos surdos?/ Ele bateu mesmo naquela mesa?/ Isso deve ter deixado uma marca e tanto./ Foi uma boa pancada./ Porque ele fez isso?/ Ele não sabe que é propriedade de alguém?/ Ele não se importa?/ Que tipo de pessoa ele é, afinal?*

Esse era o objetivo.

"Vocês estão vendo?"

Quase nunca só vemos.

"Vocês estão ouvindo?"

Quase nunca só ouvimos.

Pensamentos, interpretações e emoções chegam tão rapidamente depois de toda e qualquer experiência – e, na forma de expectativas, até mesmo antes de a experiência chegar – que mal podemos dizer que estávamos "ali" de fato durante o momento original de ver, o momento original de ouvir. Se estivéssemos, seria "aqui", não "ali".

No entanto, vemos nossos conceitos em vez do bastão. Ouvimos nossos conceitos, não o golpe. Avaliamos, julgamos, divagamos, categorizamos, reagimos emocionalmente e tão rápido que o momento do puro ver e o momento do puro ouvir se perdem. Naquele instante, pelo menos, seria possível dizer que perdemos a cabeça e nos afastamos de nossos sentidos.

É claro que esses momentos de inconsciência dão cor ao que vem depois, então, há uma tendência de continuar perdido, de cair em padrões de pensamento e sentimento automáticos por longos períodos de tempo, sem nem saber.

Então, quando Soen Sa Nim perguntava "Vocês estão vendo isto? Vocês estão ouvindo isto?", não era tão trivial quanto podia parecer. Ele estava nos convidando a despertar do sonho de autoabsorção e de nossa teia infinita de histórias que nos distancia do que está acontecendo de fato nesses momentos que, juntos, são o que chamamos de vida.

Odisseu e o adivinho cego

Às vezes, dizemos "Caia em si!" para intimar alguém a acordar para como as coisas realmente são. Em geral, porém – você talvez tenha notado –, as pessoas não ficam sensatas magicamente só porque imploramos que o façam. (Nem nós quando imploramos a nós mesmos.) Toda a orientação delas – em relação a si mesmas, à situação e a tudo – pode precisar de uma reforma, por vezes, drástica. Como fazer isso? Às vezes, é preciso uma crise para nos despertar – se ela não nos matar primeiro.

Dizemos "Ele está fora de si" para nos referirmos a alguém que perdeu contato com a realidade. A maior parte do tempo, não é tão fácil retomar esse contato. Onde seria preciso começar quando já se está tão distante? E se toda a sociedade ou todo o mundo estiver fora de si, e todos estiverem focados em algum aspecto da questão, mas ninguém estiver aprendendo o todo? Enquanto isso, o que pensávamos ser um elefante está se transformando em algo mais parecido com um monstro enlouquecido, e estamos presos na indisposição de perceber e nomear o que existe, como os cidadãos-espectadores do reino do imperador enganado com suas novas roupas "invisíveis".

O cerne da questão é que não é tão simples cair em si sem prática. E, via de regra, estamos colossalmente sem prática. Estamos fora de forma no que diz respeito a cair em nós. Estamos fora de forma no que diz respeito a reconhecer nossa relação com os aspectos do corpo e da mente que partilham dos sentidos, são coincidentes com os sentidos e moldados por eles. Em outras palavras, estamos colossalmente fora de forma quanto a percepção e a consciência, seja para fora, para dentro ou ambas as situações. Entramos de novo em forma exercitando nossa capacidade de prestar atenção, como se fosse um músculo. E o que fica mais forte, mais robusto e mais flexível com esses exercícios, muitas vezes diante de uma resistência considerável de dentro de nossa mente, é muito mais interessante que, digamos, um bíceps.

Na maior parte do tempo, nossos sentidos, incluindo, claro, nossa mente, estão brincando com a gente, simplesmente pela força do hábito e pelo fato de que os sentidos não são passivos, mas exigem avaliação e interpretação ativas e coerentes de várias regiões do cérebro. Vemos, mas quase não estamos conscientes de ver como relação a ligação entre nossa capacidade de ver e o que está disponível para ser visto. Acreditamos no que pensamos estar em frente a nós. No entanto, essa experiência, na verdade, é filtrada pelos nossos vários construtos de pensamento inconscientes e pela forma misteriosa como parecemos estar vivos num mundo que conseguimos absorver pelos olhos.

Então, vemos algumas coisas, mas, ao mesmo tempo, podemos não ver o que é mais importante ou relevante para o desdobramento de nossa vida. Vemos habitualmente, o que significa que vemos de formas muito limitadas ou nem vemos, às vezes, até o que está debaixo do nosso nariz e em frente aos nossos olhos. Vemos no piloto automático, não damos valor ao milagre de ver até ele ser simplesmente parte do pano de fundo não reconhecido da nossa vida. Podemos ter filhos e passar anos sem vê-los de verdade porque só estamos "vendo" nossos pensamentos sobre eles, coloridos por nossas expectativas ou nossos medos. O mesmo pode ser verdade para qualquer um ou todos os nossos relacionamentos. Vivemos no mundo natural, mas, boa parte do tempo, também não notamos isso perdendo a forma como a luz do sol reflete numa folha em particular ou como estamos rodeados na cidade por reflexões incrivelmente distorcidas em janelas e para-brisas. Também não sentimos, via de regra, que estamos sendo vistos e sentidos por outro, incluindo a fauna na paisagem – seria mais fácil saber passando a noite numa floresta – e de formas que podem divergir demais de nossa visão sobre nós mesmos.

Talvez essa cegueira tão predominante e endêmica de nossa parte como seres humanos seja uma razão para Homero, no alvorecer da tradição literária ocidental, ter escrito, no meio da *Odisseia*, história transmitida oralmente em torno de 800 a.C., sobre Odisseu buscando Tirésias na fronteira de Hades para saber seu destino e o que ele precisa fazer para voltar para casa em segurança. Pois Tirésias é um adivinho cego e, sempre que um "adivinho cego" faz uma aparição, sabemos que as coisas vão ficar mais interessantes e mais reais. Homero parece nos contar que a visão real vai além de ter olhos funcionais. Aliás, olhos funcionais podem ser um impedimento para alguém encontrar seu caminho. Devemos aprender a ver além de nossa cegueira habitual e característica – no caso de Odisseu, produto de sua arrogância e astúcia, que eram sua força e sua ruína e, portanto, um presente incomparável a reconhecer e com o qual aprender[9].

---

9 De fato, Tirésias prevê uma segunda viagem de Odisseu no fim da vida, uma jornada que ele fará sozinho, sem seu bando de guerreiros, uma jorna-

Não só não vemos o que está lá, muitas vezes vemos o que não está. Como os olhos inventam! A mente cria coisas. Isso, em parte, se deve à nossa imaginação loucamente criativa. Outras vezes, é a forma como nosso sistema nervoso está configurado. Há um triângulo na figura abaixo, conhecido como triângulo de Kanizsa. Ou não? Soen Sa Nin diria:

"Se você afirmar que há, baterei em você [com seu bastão "zen"] trinta vezes [ele não batia de verdade, mas, antigamente, na China, batiam]. Se você disser que não há, vou bater em você trinta vezes. O que você pode fazer?"

Ele não usava triângulos de Kanizsa, mas qualquer objeto que estivesse à mão.

"Se você disser que isso é/não é um bastão, um copo, um relógio, uma pedra, vou bater em você. [...] O que você pode fazer?"

Isso certamente nos ensinou a ter certo desapego em relação a formas ou vazios, ou, pelo menos, a não demonstrar apego. Apesar de nossas tentativas, demonstrávamos, sim, boa parte do tempo, e íamos cometendo erros, esperando, de alguma forma, aprender e crescer no processo, com o cuidado envolvido na aparente falta de cuidado dele, senão de outra forma.

---

da solitária para o interior, carregando um remo no ombro, até finalmente ouvir de um estranho que nunca esteve no mar:
— O que é essa pá de joeiramento em seu ombro?
Joeiramento era uma técnica de separar o joio do trigo no mundo antigo, um símbolo, aqui, do discernimento sábio, de uma sabedoria que Odisseu só encontrará muito após o fim de sua odisseia, com os pretendentes de sua esposa destruídos e seu reino restaurado. Essa jornada interior de seus últimos anos é prevista pelo adivinho cego e nunca mais é mencionada por Homero. Segundo Helen Luke, que ousou escrever a história que Homero nunca contou, ela pressagia a jornada da velhice em direção à sabedoria e à paz interior, bem como a uma reconciliação com os deuses, ofendidos por nossa cegueira e nosso orgulho.

Sabemos que, no que diz respeito a perceber com nossos olhos, vemos certas coisas, mas não outras, mesmo quando elas estão nos olhando nos olhos. E podemos ser facilmente condicionados a ver de certas formas e impedidos de ver de outras. Mágicos de mão leve usam o tempo todo essa nossa seletividade na observação. A arte deles confunde – e deleita – a mente ao habilmente distrair nossa atenção e causar em nossos sentidos.

Mais universalmente, pessoas de culturas diferentes podem ver o mesmo acontecimento de forma muito variada, dependendo de suas crenças e suas orientações. Estão vendo com lentes mentais diferentes e, portanto, vendo realidades diferentes. Nenhuma é inteiramente verdadeira. A maioria só é verdadeira até certo ponto. Os norte-americanos foram libertadores do Iraque ou seus opressores? Tenha cuidado com o que vai dizer. Quanto somos apegados a apenas uma visão, que pode ser só parcialmente verdadeira ou verdadeira só até certo ponto?

Todos temos o costume de cair sem perceber no pensamento preto e branco, buscando absolutos. É algo que nos faz sentir melhor, mais seguros, mas também é extremamente ofuscante. Isso é bom. Isso é ruim. Isso é certo. Isso é errado. Somos fortes. Somos fracos. Somos inteligentes, eles não são. Ela é um amor. Ele é um saco. Estou uma pilha de nervos. Eles estão loucos. Ele nunca vai amadurecer. Ela é muito insensível. Nunca vou conseguir fazer isso. É impossível evitar.

Todas essas afirmações são pensamentos e tendem a distorcer e limitar nossa visão, mesmo que sejam parcialmente verdadeiras. Pois, na maior parte do tempo, as coisas no mundo real só são verdadeiras até certo ponto. Não existe uma pessoa alta. Só se é alto até certo ponto. Nem há pessoa inteligente. Só se é inteligente até certo ponto. No entanto, quando caímos nesses pensamentos, se os examinarmos à luz de uma consciência mais ampla, descobrimos que eles tendem a ser rígidos, confinadores e inevitavelmente, ao menos em parte, errados. Portanto, ver e pensar em preto e branco, em termos de e/ou, provoca rapidamente julgamentos fixos e limitadores, aos quais, muitas vezes, chegamos por reflexo, de maneira automática, muitas vezes distorcendo nossa habilidade de encontrar nossa "casa" em meio aos caprichos da vida. O *discernimento*, por outro lado, ao contrário do *julgamento*, nos faz ver, sentir, perceber tons de nuances infinitos, tons de cinza no todo branco, todo preto, todo bom ou todo mau. E isso, que podemos chamar de "discernimento sábio", nos permite ver e navegar aberturas diferentes, enquanto nossos julgamentos reativos nos colocam em risco de simplesmente não ver essas aberturas e perder o espectro completo do real, levando, assim, a uma limitação automática e involuntária do possível.

Há todo um campo da matemática e da engenharia baseado nesse padrão fractal complexo no mundo entre um extremo e outro chamado lógica difusa. O engraçado é que, quanto mais se começa a prestar atenção no grau das coisas, mais clara fica a mente, não mais difusa. Será útil lembrar disso conforme nos aprofundamos na exploração do *mindfulness*. Bart Kosko, da University of Southern California, em seu livro *Fuzzy Thinking* [Pensamento difuso], aponta que o mundo do zero e um, preto e branco, é o mundo como articulado por Aristóteles, que, parenteticamente, também descreveu os cinco sentidos por escrito pela primeira vez na cultura ocidental. Todos os tons de cinza, além do zero e do um, são o mundo como articulado por Buda. Então, qual modelo está correto?

Cuidado!

Maçãs podem ser vermelhas, verdes ou amarelas, mas, se olharmos de perto, elas só são vermelhas, ou verdes, ou amarelas até certo grau. Às vezes, há manchas ou pontos maiores ou menores das outras cores misturadas. Nenhuma maçã natural é inteiramente vermelha, ou verde, ou amarela. O professor de meditação Joseph Goldstein conta a história da professora de pré-escola que pergunta à turma, segurando uma maçã:

"Que cor é esta, crianças?"

Muitas crianças dizem vermelho, algumas dizem amarelo, algumas dizem verde, mas um garotinho diz:

"Branco."

"Branco?", perguntou a professora. "Por que você está dizendo branco? Você está vendo perfeitamente que ela não é branca."

Nesse ponto, o garoto vai até a mesa, dá uma mordida na maçã e mostra para a professora e a turma.

Goldstein também gosta muito de destacar que não há um grande carro no céu, só a aparência de um grande carro criada por nosso ângulo específico em relação às estrelas. Com certeza, porém, parece um grande carro quando olhamos para o céu numa noite escura. E essa coisa que não é um grande carro mesmo assim nos ajuda a encontrar a estrela do Norte e nos guiar por ela.

Antes de continuar lendo, pause e explore o desenho a seguir. O que você vê?

Algumas pessoas veem uma velha e só uma velha. Outras veem uma jovem e só uma jovem. Qual delas está certa? Se, antes de mostrar o desenho acima, eu colocar a figura da página 79 à esquerda, ainda que por cinco segundos para metade de uma grande plateia, enquanto a outra metade está de olhos fechados, essas pessoas têm mais probabilidade de ver uma jovem no desenho anterior do que as pessoas que viram a figura da página 79, à direita. Estas, por sua vez, têm muito mais probabilidade de ver uma velha no desenho. Uma vez que o padrão é criado, é muito mais difícil para algumas pessoas verem o outro, mesmo depois de olhar por muito tempo, a não ser que tenham visto os dois desenhos de imediato.

E há ainda a encantadora história da maravilhosa fantasia, de Antoine de Saint-Exupéry, *O pequeno príncipe*:

Uma vez, quando eu tinha 6 anos, vi um livro de ilustrações magnífico sobre a selva, chamado *Histórias verdadeiras*. Mostrava uma jiboia engolindo uma fera selvagem. [...]
O livro dizia: "Jiboias engolem sua presa inteira, sem mastigar. Depois, não conseguem se mexer e dormem durante os seis meses de sua digestão".
Naqueles dias, eu pensava muito sobre aventuras na selva e acabei fazendo meu primeiro desenho, com um lápis colorido. Meu desenho de estreia era assim:

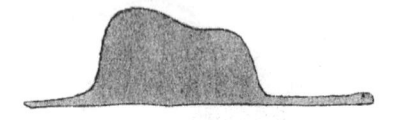

Mostrei minha obra-prima para os adultos e perguntei se meu desenho os assustava. Eles responderam:
"Por que ficaríamos assustados com um chapéu?"
Meu desenho não era um chapéu. Era uma jiboia digerindo um elefante. Então, eu desenhei dentro da jiboia, para os adultos entenderem. Eles sempre precisavam de explicações. Meu segundo desenho era assim:

Os adultos me aconselharam a deixar os desenhos de jiboias, por dentro ou por fora, de lado, e me dedicar em vez disso a geografia, história, aritmética e gramática. Foi por isso que eu abandonei, aos 6 anos, uma carreira magnífica de artista. Tinha sido desencorajado pelo fracasso de meus dois primeiros desenhos. Adultos nunca entendem nada por si mesmos, e é exaustivo para as crianças ter de dar explicações o tempo todo.

Então, para cair em si, talvez seja necessário desenvolver e aprender a confiar em sua capacidade inata de ver, sob a superfície das aparências, as dimensões mais fundamentais da realidade, como Tirésias, que era cego, mas via o que era importante e expressava isso para Odisseu, que não era literalmente cego, mas não conseguia discernir o que mais precisava ver e saber. Talvez essas novas dimensões que só nos parecem escondidas possam nos ajudar a despertar para o espectro completo de nossa experiência do mundo e nosso potencial de entender a nós mesmos e ao mundo e a trazer à tona o que é mais profundo e melhor em nós, além de mais humano.

*Meu interior, ouça-me, o grande espírito,
o professor está perto,
acorde, acorde!
Corra para se levantar —
ele está perto de sua cabeça agora mesmo.
Você dormiu por milhões e milhões de anos.
Por que não acordar nesta manhã?*

KABIR
Traduzido com base na versão em inglês de Robert Bly

Sem apego

Está rolando uma piada assim:

"Você ouviu falar do telefone sem fio budista?"
"É sério? Que diabos é um telefone sem fio budista?"
"Você sabe! Não se prende a nada, sem apego!"

O fato de as pessoas entenderem isso sugere que a mensagem central da meditação budista entrou na psique coletiva de nossa cultura. Da perspectiva de minha infância, nos anos 1940 e 1950, essa conexão cultural da mente teria sido altamente improvável, até inconcebível. Carl Jung sobre falou isso ao comentar a potencial dificuldade de a mente ocidental compreender o zen, embora ele próprio tivesse o maior respeito por seu objetivo e seus métodos.

Ainda assim, a mudança já ocorreu, e talvez o interesse contínuo de Jung numa era anterior fosse emblemático do que está ocorrendo agora, além de instrumental. Apesar disso, ele teria ficado chocado com como o *mindfulness* e a sabedoria darma penetraram profundamente no mundo tradicional.

Diz-se que o historiador Arnold Toynbee comentou que a chegada do budismo ao Ocidente seria vista, com o tempo, como o acontecimento histórico mais importante do século XX. É uma afirmação espantosa, dados os acontecimentos incríveis daqueles cem anos, incluindo todo o incalculável sofrimento causado pelos humanos uns aos outros. Se ele estava correto ou não, ainda não podemos dizer. É provável que isso exija a perspectiva de pelo menos mais uns cem anos para arriscarmos uma avaliação informada. No entanto, algo está claramente acontecendo.

Em todo caso, hoje em dia, as pessoas entendem a piada do telefone sem fio, além de muitas outras que acabam na revista *New Yorker* e, por exemplo, em quadrinhos sobre meditação. Aqui está uma:

> Dois monges em robes e que obviamente tinham acabado de terminar um período de meditação sentada. Um se vira para o outro. A legenda diz: "Você não está pensando o que eu não estou pensando?".

A cultura está pegando certa ideia sobre meditação. E isso não se limita à cultura erudita. Encontramos em filmes e anúncios no metrô, revistas e jornais. A paz interior, hoje, é usada para vender quase tudo, de férias em *spas* a carros novos, perfumes e contas bancárias. Ninguém afirma que isso é bom, mas indica que algo está mudando conforme ficamos mais conscientes, em algum nível, da promessa e da realidade prática dessa busca e, claro, de nossa capacidade de explorar quase tudo pelo marketing de um produto.

Em um quadrinho que um jovem paciente me deu anos atrás, a sequência de desenhos é acompanhada por um diá-

logo. Pelo texto, você mesmo pode imaginar como devem ser as figuras:
"O que você está fazendo, Mort?"
"Estou praticando meditação. Depois de uns minutos, minha mente fica completamente vazia."
"Puxa, e eu achei que ela tinha nascido assim."

Achar que meditação tem a ver com fazer a mente ficar vazia é um erro, mas, independentemente do que as pessoas acreditem que seja, a prática está na cultura ocidental como nunca antes. Durante anos, o rosto de Dalai Lama observava de grandes *outdoors*, cortesia da Apple Computer. Eu entro na Staples do meu bairro para comprar material de escritório e lá está o livro dele, *A arte da felicidade*, em uma gôndola de destaque, e na seção de negócios, ainda por cima. Algo profundo aconteceu nos últimos quarenta anos, e as sementes disso, agora, estão se espalhando por todo lugar. Poderíamos chamar de chegada do *Darma* ao Ocidente. Se a palavra *darma* não lhe é familiar ou se seu significado, no momento, lhe é obscuro, vamos explorá-la com algum detalhe na Parte 2. Por enquanto, basta dizer que é possível pensar nela como os ensinamentos formais de Buda (com "D" maiúsculo) e também um conjunto de regras universais, éticas, intrínsecas, que descreve a forma como as coisas são e a natureza da mente que percebe e conhece (com "d" minúsculo).

Buda certa vez disse que a mensagem central de todos os seus ensinamentos – ele ensinou continuamente por mais de quarenta e cinco anos – podia ser resumida em uma frase. Na remota hipótese de ser o caso, talvez não seja má ideia decorar essa frase. Nunca se sabe quando ela pode vir a calhar, quando pode fazer sentido para você, ainda que, até então, não fizesse. A frase é:

Nada deve se prender a "eu", "mim" ou "meu".

Em outras palavras, sem apego. Especialmente, apego a ideias fixas de si e de quem se é.

É uma mensagem difícil de engolir de primeira, porque coloca em questão tudo o que pensamos que somos, que, na maior parte, parece vir daquilo com que nos identificamos, nosso corpo, nossos pensamentos, nossos sentimentos, nossas relações, nossos valores, nosso trabalho, nossas expectativas do que "deve" acontecer e de como as coisas "devem" funcionar para que eu seja feliz, nossas histórias sobre onde viemos e para onde vamos e sobre quem somos.

No entanto, não vamos reagir tão rapidamente, embora, de imediato, o conselho de Buda pareça um pouco assustador ou até idiota ou irrelevante. Pois a palavra principal, aqui, é "prender". É importante compreender o que ele quer dizer com isso para não interpretarmos errado o apelo dele como um repúdio a tudo o que nos é querido, quando, na verdade, trata-se de um convite para entrar em maior conexão e num contato direto, vivo, com todos os que nos são caros e tudo o que é mais importante para nosso bem-estar como uma pessoa completa, corpo, mente, alma e espírito, sem importar qual linguagem queira usar. Isso inclui o que é difícil de resolver ou aceitar – o estresse e a angústia da condição humana em si que aparece em nossa vida, como acontece mais cedo ou mais tarde, de uma forma ou de outra. É dizer que pode ser nosso apego aos pensamentos que temos sobre quem somos o impedimento para viver plenamente, e um obstáculo teimoso para qualquer percepção de quem e o que realmente somos e o que é importante e possível. Pode ser que, ao nos prendermos a nossas formas de ver e ser autorreferenciais, a partes do discurso que chamamos de pronomes pessoais, "eu", "mim" e "meu", estejamos sustentando o hábito não examinado de agarrar e nos prender ao que não é fundamental e, enquanto isso, perdendo ou esquecendo o que realmente é.

A origem dos sapatos: uma fábula

Há uma antiga história sobre como os sapatos foram inventados.

> Era uma vez, há muito, muito tempo, uma princesa que, andando, um dia, topou o dedão numa raiz saliente no caminho. Irritada, ela foi ao primeiro-ministro e insistiu que ele redigisse um decreto para que todo o reino fosse pavimentado com couro, para que ninguém nunca mais sofresse batendo o dedão. Bem, o primeiro-ministro sabia que o rei sempre queria agradar sua filha de todas as formas e, portanto, seria possível apelar a ele para que cobrisse de fato o reino com couro, o que, aparentemente, resolveria aquele problema, faria a princesa feliz e salvaria todos da humilhação de bater o dedão, mas seria gravemente problemático

de muitas formas, para não dizer caro. Pensando rapidamente, o primeiro-ministro respondeu:

"Já sei! Em vez de cobrir todo o reino com couro, Vossa Alteza, por que não fabricamos pedaços de couro moldados em seus pés e os colocamos de alguma forma apropriada? Aí, aonde que quer vá, seus pés estarão protegidos no ponto de contato com o chão, e não teremos de incorrer numa despesa tão grande nem nos desfazer da doçura da terra.
A princesa gostou bastante da ideia, e então, os sapatos chegaram ao mundo, e muita tolice foi evitada."

Acho essa história encantadora. Ela revela *insights* profundos sobre nossa mente, disfarçados de uma simples fábula. Em primeiro lugar, acontecem conosco coisas que geram vexação e aversão, duas palavras que budistas de algumas tradições amam usar e que eu acho que, apesar de soarem pitorescas, descrevem mesmo de forma precisa nossas emoções quando as coisas não "dão certo". Topamos o dedão e não gostamos. Bem ali, ficamos vexados, frustrados e caímos na aversão. Podemos até dizer:
"Odeio topar o dedão."
Bem ali, transformamos aquilo, num problema – em geral, "meu" problema –, e, então, o problema precisa de uma solução. Se não tomarmos cuidado, a solução pode ser muito pior que o problema. Em segundo lugar, sabedoria é sugerir que o lugar para aplicar o remédio seja o ponto de contato, no momento do contato. Nos protegemos de topar o dedão usando proteção nos pés, não cobrindo o mundo todo com nossa ignorância, nosso desejo, com medo ou raiva.
Da mesma forma, podemos nos proteger contra a elaborada cascata de pensamentos e emoções muitas vezes vexadores ou fascinantes comumente engatilhados por uma sensação reduzida. Podemos fazer isso levando a atenção ao ponto de contato, no momento do contato, com a impressão do sentido. Dessa maneira, quando vemos, os olhos estão momenta-

neamente em contato com a realidade do que é visto. No momento seguinte, todos os tipos de pensamentos e sentimentos nos inundam... *Eu sei o que é isso./ Que adorável./ Não gosto tanto quanto gostei do outro./ Queria que isso continuasse assim./ Queria que isso acabasse./ Por que isso está aqui me irritando, frustrando, cerceando neste momento?* E assim por diante.

O objeto ou a situação são o que são. Podemos vê-los com atenção aberta e nua no mesmo momento em que vemos e, depois, trazer nossa consciência para ver o gatilho de pensamentos e sentimentos, gostar e não gostar, julgar, desejar, lembrar, esperar, temer e o pânico que se seguem após o contato original como a noite após o dia?

Se conseguirmos, mesmo que por um instante, simplesmente descansar no ato de ver o que existe para ser visto e aplicar o *mindfulness* de maneira vigilante no momento do contato, podemos nos alertar para a cascata de pensamentos e reações quando ela começar, desencadeada pela experiência de ser agradável, desagradável ou neutra – e escolher não nos prendermos nisso, independentemente das características. Em vez disso, podemos permitir que o ato se desenrole como é, sem buscá-lo se for agradável nem o rejeitar se for desagradável. Naquele momento, é possível ver as vexações se dissolverem, por serem simplesmente reconhecidas como fenômenos mentais. Aplicando o *mindfulness* quando do contato, no ponto de contato, podemos descansar na abertura do puro ver, sem ficarmos tão presos na perturbação do reino dos sentimentos, o que, claro, só leva a mais perturbação e turbulência na mente e nos distancia de qualquer chance de apreciar a verdade nua do que existe ou, inclusive, de reagir a isso de forma eficaz e autêntica.

O *mindfulness*, portanto, serve como nossos sapatos, protegendo-nos das consequências de nossos próprios hábitos emocionais de reação, esquecimento e prejuízos inconscientes que vêm de não reconhecer, lembrar ou habitar a natureza mais profunda de nosso próprio ser quando surge uma impressão de sentido, qualquer sentido.

Com o *mindfulness* aplicado naquele momento e naquela forma, no ponto de contato, no surgimento em si, a natureza de nosso ver, o milagre de nosso ver, está livre para ser o que é, e a natureza essencial da mente não é perturbada. E, então, estamos livres do dano, livres de qualquer conceitualização e de todos os vestígios do apego. Estamos meramente descansando no saber do que é visto, ouvido, cheirado, experimentado, sentido ou pensado – seja agradável, seja desagradável, seja neutro. Costurar, dessa forma, momentos de *mindfulness* nos permite gradualmente descansar cada vez mais, numa consciência não mais conceitual, não reativa e sem escolha, de fato *estar* no saber que já é a consciência, *ser* seu espaço, sua liberdade.

Nada mal para um par de sapatos baratos.

Na verdade, eles não são tão baratos. São inestimáveis e valiosos. Não podem nem ser comprados, só fabricados por meio de nossa dor e nossa sabedoria. Acabam, nas palavras de T. S. Eliot, "custando não menos do que tudo".

Meditação: é mais do que você pensa

Desde já, pode ser bom esclarecer alguns equívocos comuns sobre meditação. Primeiro, é melhor pensar na meditação como uma forma de ser, não uma técnica nem uma coleção de técnicas.
Vou dizer de novo.
Meditação é uma forma de ser, não uma técnica.
Isso não quer dizer que não existam métodos e técnicas associados à prática da meditação. Existem. Aliás, há centenas deles, e vamos fazer bom uso de alguns. No entanto, sem compreender que todas as técnicas são veículos orientadores apontados para formas de ser, formas de estar num relacionamento com o momento presente e com sua própria mente e sua própria experiência, é fácil se perder em técnicas e em nossas tentativas equivocadas, mas totalmente compreensíveis para chegar a outro lugar e experimentar algum resultado ou

estado especial que achamos ser o objetivo de tudo. Como veremos, essa orientação pode atrapalhar gravemente nossa compreensão da riqueza total da prática de meditação e o que ela nos oferece. Portanto, é útil ter em mente que, acima de tudo, a meditação é uma forma de ser ou, seria possível dizer, uma forma de ver, uma forma de saber – e até uma forma de amar.

Em segundo lugar, meditação não é outro termo utilizado para se referir a relaxamento. Talvez eu devesse dizer isso de novo também: meditação não é outro termo para relaxamento.

Isso não quer dizer que a meditação não seja frequentemente acompanhada por um relaxamento profundo e por sensações intensas de bem-estar. É claro que é, ou pode ser, por vezes. A meditação *mindfulness*, porém, é o abraço de todo e qualquer estado mental na consciência, sem preferir um ou outro. Do ponto de vista da prática de *mindfulness*, dor ou angústia, ou, ainda, tédio, impaciência, frustração, ansiedade, ou tensão no corpo, são objetos de atenção igualmente válidos, se os vermos surgindo no momento presente. Cada um é uma rica oportunidade de *insight*, aprendizado e potencial libertação, não um sinal de que nossa prática de meditação não está sendo "bem-sucedida", porque não estamos nos sentindo relaxados ou experimentando calma ou felicidade plenas em dado momento.

Podemos dizer que a meditação é de fato uma forma de estar apropriadamente conectado com as circunstâncias em que nos encontramos, em todo e qualquer momento. Se estamos presos nas preocupações de nossa própria mente, não conseguimos estar presentes de uma forma apropriada ou talvez não consigamos de forma alguma. Levaremos algum tipo de agenda para o que quer que digamos ou pensemos, mesmo que não saibamos.

Isso não quer dizer que não haverá várias coisas em nossa mente, muitas delas caóticas, turbulentas, dolorosas e confusas, se começarmos a treinar para sermos mais *mindful*. É natural que haja. Essa é a natureza da mente e de nossa vida, às vezes. No entanto, não temos de ficar presos a essas coisas, ou tão apegados a elas, influenciando nossa capacidade de perceber a extensão total do que está acontecendo e do que é exigido (ou que deixemos que influenciem nossa capacidade de perceber que não temos ideia do que está de fato acontecendo ou do que pode ser exigido). O não apego e, portanto, a percepção clara e a disposição de agir apropriadamente dentro das circunstâncias que surjam constituem essa forma de ser que estamos chamando de meditação.

Não é incomum quem sabe pouco sobre meditação, exceto o que viu na mídia, ter uma ideia de que é basicamente uma manipulação interior deliberada, parecida com apertar um interruptor no cérebro, resultando na mente completamente vazia. Sem pensamento, sem preocupação. Você é catapultado para *o* estado "meditativo", que sempre é de profundo relaxamento, paz, calma e *insight*, muitas vezes associados a conceitos de "nirvana".

Essa noção é um equívoco sério, ainda que totalmente compreensível. A prática de meditação pode ser cheia de pensamentos e preocupações e desejos, bem como qualquer outro estado mental e de aflição frequentes aos seres humanos. Não é o conteúdo da sua experiência que importa. O que mais importa é nossa habilidade de estar consciente desse conteúdo e, ainda mais, dos fatores que impulsionam seu desdobramento e as formas segundo as quais esses fatores ou nos liberam, ou nos aprisionam momento a momento, ano a ano. Então, só para deixar claro, não há um "estado *mindful*" que estamos tentando atingir ou manter. Qualquer condição ou estado em que nos encontremos em qualquer momento, incluindo raiva, medo ou tristeza, pode ser sustentado em consciência e, portanto, ser visto, confrontado, conhecido e aceito como parte daquela realidade.

Embora não haja dúvidas de que a meditação possa levar a relaxamento, paz, calma, *insight*, sabedoria e compaixão profundos e de que o termo "nirvana" de fato se refira a uma dimensão importante e comprovável da experiência humana[10] e não seja só o nome de uma banda ou um iate de luxo, ela nunca é o que se imagina, e o que se imagina nunca é a história toda. Esse é só um dos mistérios e atrações da meditação. Às vezes, porém, até meditadores experientes se esquecem de que meditação não tem a ver com chegar a algum lugar especial e podem desejar ou se esforçar para atingir certo resultado que preencha seus desejos e suas expectativas. Mesmo quando "sabemos como é", isso pode aparecer às vezes, e temos que nos "re-lembrar" de desapegar de tais conceitos e desejos, tratá-los como qualquer outro pensamento que surja na mente, lembrar-nos de não nos prendermos a *nada* e, talvez, até ver que eles são intrinsecamente vazios, meras invenções, embora compreensíveis, do que podemos chamar de uma mente desejosa.

Outro equívoco comum é considera a meditação uma forma de controlar os pensamentos ou de ter pensamentos específicos. Embora essa noção também tenha um grau de verdade, já que há formas próprias de meditação discursiva voltadas a cultivar qualidades peculiares como bondade e serenidade e emoções positivas como alegria e compaixão, nossas formas de pensar sobre meditação, muitas vezes, a tornam mais difícil do que o necessário e nos impedem de chegar à experiência do momento presente como ele realmente é, em vez de como queremos que seja, e com coração e mente abertos.

Pois a meditação, e especificamente a meditação de *mindfulness*, não é ligar um interruptor e se catapultar para lugar algum nem considerar certos pensamentos e se livrar de outros. Também não é esvaziar sua mente ou se forçar para ficar em paz ou relaxado. É realmente um gesto interior que inclina o coração e a mente (vistos como um todo ininterrupto)

---

10 A palavra, na verdade, significa "extinto", como um fogo que queimou completamente. Quando o que pensamos de nós e nossos desejos se extinguem por completo, em outras palavras, eles já não surgem mais. Isso é o nirvana.

na direção de um espectro total de consciência do momento presente como ele é, aceitando o que estiver acontecendo, simplesmente porque já está acontecendo, e não levando nada para o lado pessoal ou notando quanto se está fazendo isso e deixando que até essa percepção aconteça de forma consciente. Essa orientação interior, às vezes, é chamada na psicoterapia de "aceitação radical". Não importa que nome damos, adotar essa relação com a experiência é um trabalho árduo, em especial quando o que está acontecendo não segue nossas expectativas, nossos desejos, nossas fantasias. E nossas expectativas, nossos desejos e nossas fantasias são onipresentes e, aparentemente, infinitos. Eles podem colorir tudo, às vezes, de formas muito sutis e que não são nada óbvias, em particular quando têm a ver com a prática de meditação e questões de "progresso" e "conquistas".

Então, a meditação não diz respeito a tentar chegar a outro lugar, mas a se permitir estar exatamente onde se está e como se está e permitir que o mundo também seja exatamente como é neste momento. Isso não é tão simples, pois há sempre algo em que podemos, com razão, encontrar problemas, se ficarmos com os ecos de nossos pensamentos. E, assim, tende a haver maior resistência por parte da mente e do corpo em se acomodar com a maneira como as coisas são, mesmo que por um momento. Essa resistência a como tudo é pode ser ainda mais problemática se estivermos meditando, pois esperamos que, com isso, possamos criar mudanças, tornar as coisas diferentes, melhorar nossa vida e contribuir para melhorar o destino do mundo.

Isso não quer dizer que suas aspirações a criar mudança positiva, tornar as coisas diferentes, melhorar sua vida e o destino do mundo sejam inadequadas. Tudo isso são possibilidades reais. Simplesmente meditando, sentando e ficando parado, você *pode* mudar a si mesmo e ao mundo. Inclusive, só sentando e ficando parado, de forma pequena, mas não insignificante, você já mudou.

O paradoxo, porém, é que você só pode mudar a si ou ao mundo se sair de seu próprio caminho por um momento e se entregar e confiar que as coisas sejam como já são, sem perseguir nada, especialmente objetivos que são produtos de sua mente. Einstein colocou isso de forma bem convincente: "Os problemas que existem hoje no mundo não podem ser resolvidos pelo nível de pensamento que os criou". Implicação: precisamos desenvolver e refinar nossa mente e suas capacidades de ver e conhecer, de reconhecer e transcender quaisquer motivos, conceitos e hábitos de inconsciência que podem ter gerado ou complicado as dificuldades em que nos vemos emaranhados, uma mente que sabe e vê de formas novas, que é motivada por coisas diferentes. É o mesmo que dizer que precisamos voltar à nossa mente original, intocada, não condicionada.

Como podemos fazer isso? Precisamente, parando um momento para sair do nosso próprio caminho, ficar de fora do fluxo de pensamento e sentar na margem e descansar por um instante com as coisas como elas são sob a superfície de nossos pensamentos ou, como gostava de dizer Soen Sa Nim, "antes de pensar". Isso quer dizer estar com o que existe por um momento e confiar no que é mais profundo e melhor em nós, mesmo que não faça sentido para nossa mente pensante. Como somos muito mais do que a soma de nossos pensamentos, ideias e opiniões, incluindo os pensamentos sobre quem somos e a respeito do mundo e as histórias e as explicações que nos contamos sobre tudo isso, entrar em contato com a experiência nua do momento presente é, na verdade, entrar em contato apenas com as qualidades que esperamos cultivar – porque todas vêm da consciência, e é na consciência que caímos quando paramos de tentar chegar a algum lugar ou ter um sentimento especial e nos permitimos estar onde estamos e com qualquer sentimento que tenhamos agora. A própria consciência é a professora, a aluna e a lição.

Então, do ponto de vista da consciência, qualquer estado mental é um estado meditativo. Raiva ou tristeza são tão interessantes, úteis e válidas quanto entusiasmo ou deleite e muito mais valiosas que uma mente em branco, uma mente insensata, desconectada. Raiva, medo, terror, tristeza, ressentimento, impaciência, entusiasmo, deleite, confusão, nojo, desprezo, inveja, raiva, desejo, até apatia, dúvida e torpor, de verdade, todos os estados mentais e corporais são ocasiões para nos conhecermos melhor se conseguirmos parar, olhar e ouvir; em outras palavras, se cairmos em nós e nos tornarmos íntimos do que se apresenta em consciência a todo e qualquer momento. O mais impressionante e muito inesperado é que nada mais precisa acontecer. Podemos desistir de tentar fazer algo especial acontecer. Ao abrir mão de querer que algo especial ocorra, talvez possamos perceber que algo muito especial já está ocorrendo, e está sempre ocorrendo, a saber, a vida emerge a cada momento como consciência.

Duas formas de pensar sobre meditação

A instrumental e a não instrumental

Tendo dito que a meditação não é uma técnica nem um conjunto de técnicas para atingir um estado em particular, mas, sim, uma forma de ser, pode ser útil perceber que há duas maneiras aparentemente contraditórias de pensar sobre meditação e o que ela é, e a mescla é distinta para professores diferentes e em tradições diferentes. Você pode me ver usando de propósito a linguagem de ambas de maneira simultânea, pois as duas são igualmente verdadeiras e importantes, e a tensão entre elas é criativa e útil.

Uma abordagem é pensar na meditação como instrumental, como um método, uma disciplina que nos permite cultivar, refinar e aprofundar nossa capacidade de prestar atenção e habitar a consciência do momento presente. Quanto mais praticamos o método, que pode na verdade ser uma série de métodos diferentes, mais probabilidade temos de, com o tempo, desenvolver maior estabilidade em nossa capacidade de cuidar de qualquer objeto ou acontecimento que surja no campo da consciência, seja interior seja exteriormente. Essa estabilidade pode ser experimentada tanto no corpo quanto na mente e, muitas vezes, é acompanhada por uma vivacidade cada vez maior de percepção e uma calma em observar a si mesmo. Dessa prática sistemática, é natural que surjam momentos de clareza e *insights* sobre a natureza das coisas, inclusive nós mesmos. Nessa forma de olhar a meditação, ela é algo progressivo; há um vetor apontado para sabedoria, compaixão e clareza, uma trajetória que tem um início, um meio e um fim, embora não se possa dizer que o processo seja linear e, às vezes, pareça que ele consiste de um passo para a frente e seis para trás. Nesse sentido, não é diferente de qualquer outra competência que possamos desenvolver. E há instruções e ensinamentos para guiar-nos pelo caminho.

Essa forma de olhar para a meditação é necessária, importante e válida, porém – e é um grande porém –, embora o próprio Buda tenha meditado diligentemente por seis anos e chegado a uma percepção extraordinária de liberdade, clareza e compreensão, essa forma metodológica de descrever o processo não é, em si, completa e pode dar uma impressão errônea do que de fato está envolvido na meditação.

Da mesma forma que os resultados de seus experimentos e cálculos compeliram os físicos a descrever a natureza das partículas elementares de duas formas complementares (uma como partículas e outra como ondas, embora sejam a mesma coisa) – mas aqui a linguagem falha, porque não são coisas, e sim mais propriedades de energia e espaço no centro de todas as coisas em níveis inimaginavelmente detalhados –, há uma segunda forma, igualmente válida, de descrever a meditação. É uma descrição essencial para o entendimento completo do que a meditação é de fato quando passamos a praticá-la.

Essa outra forma de descrever a meditação é que, não importa o que seja "meditação", ela não é nem um pouco instrumental. Se há um método, é o método de não ter método. Não é um fazer. Não há lugar para ir, nada para praticar, nenhum início, meio ou fim, nenhuma conquista e nada a almejar. Pelo contrário, trata-se da percepção e da incorporação diretas, neste momento, de quem você já é, fora de tempo, espaço e qualquer tipo de conceitos, de um descanso na própria natureza de seu ser, no que, por vezes, se chama de estado natural, mente original, consciência pura, mente vazia ou, simplesmente, vazio. Você já é tudo o que pode esperar atingir, então, não é necessária força de vontade – nem para a mente voltar à respiração – e nenhuma conquista é possível. Você já é. Tudo já está aqui. Aqui já é todo lugar, e agora já é sempre. Não há tempo, não há espaço, não há corpo e não há mente, parafraseando o grande poeta sufista do século XV, Kabir. E não há propósito na meditação – ela é a única atividade humana (na verdade, uma não atividade) em que nos engajamos por ela mesma, a não ser a finalidade de estar desperto para o que existe.

Por exemplo, como é possível "conquistar" seu pé quando ele não está separado de você, para começar? Nunca nem pensaríamos em conquistar nosso pé, porque ele já está aqui. A mente pensante o transforma em "um pé", uma coisa, mas, a não ser que ele seja decepado do corpo, não é uma entidade separada com a própria existência intrínseca. É simplesmente o fim da perna, adaptado para ficarmos de pé e caminharmos eretos. Quando estamos pensando, ele é um pé, mas, se estamos em consciência, fora, sob e além do pensamento, é simplesmente o que é. E você já o tem ou, em outras palavras, ele não é outro senão você, nem nunca foi. A mesma coisa vale para os olhos, os ouvidos, o nariz, a língua e todas as outras partes de seu corpo. Como disse São Francisco: "O que você está buscando é quem está buscando".

Pela mesma lógica, como é possível conquistar senciência, conhecimento, a mente original, quando a mente original, segundo Ken Wilber, está lendo estas palavras? Como você pode entender os sentidos, quando seus sentidos já estão inteiramente operantes? Seus ouvidos *já* ouvem, seus olhos *já* veem, seu corpo *já* sente. É só quando os transformamos em conceitos que *de fato* os separamos do corpo de nosso ser, que, por sua própria natureza, é indivisível, já inteiro, já completo, já senciente, já desperto.

Essas duas formas de entender o que é meditação são complementares e paradoxais, como a natureza de onda e partícula da matéria no nível quântico e além dele. Isso quer dizer que nenhuma delas é completa. Sozinha, nenhuma delas é completamente verdadeira. Juntas, as duas se tornam verdadeiras.

Por esse motivo, é importante conhecer e ter em mente ambas as descrições desde que se começa a praticar a meditação, especialmente a meditação *mindfulness*. Dessa forma, temos menos chance de nos prendermos na encruzilhada do pensamento dualista, ou nos esmerarmos demais para conquistar o que já somos, ou alegarmos já sermos o que, na realidade, não experimentamos nem percebemos, e a que não temos forma de recorrer, embora, tecnicamente, possa ser verdade e nós já o sejamos. Não é meramente que tenhamos potencial para nos tornarmos algo, embora, de maneira relativa, da perspectiva instrumental, seja o caso. Nós já somos, – mas não sabemos. Pode estar bem debaixo do nosso nariz, mais perto do que perto, mas, mesmo assim, permanece escondido.

Essas duas descrições se informam uma à outra. Quando consideramos as duas, mesmo que no início só conceitualmente, o esforço que fazemos em nos sentarmos, ou em examinar o corpo, ou na ioga, ou em levarmos o *mindfulness* para todos os aspectos de nossa vida será o esforço correto, e teremos a atitude correta porque nos lembraremos de que, na realidade, em termos da natureza fundamental da vida e da mente, não há aonde ir e não é necessário lutar. Aliás, lutar pode rapidamente se tornar contraproducente. Tendo isso em mente, estaremos mais inclinados a ser gentis e suaves conosco, relaxar, aceitar e ter clareza mesmo diante de turbulências da mente ou do mundo. Estaremos menos inclinados a idealizar nossa prática ou nos perder em "fantasias de ganho" de onde ela nos levará se "fizermos do jeito certo". Seremos menos carregados para as distorções de nossa própria reatividade, teremos mais chance de nos soltarmos e sermos capaz de descansar sem esforço no não fazer, no não lutar, na nossa mente de iniciante original; em outras palavras, na própria consciência, sem segundas intenções que não estar desperto para o que existe. Esse habitar de consciência com as coisas exatamente como são é perpendicular a qualquer conjunto de instruções que possamos, da perspectiva instrumental e com razão, sussurrar em nossos próprios ouvidos.

Da perspectiva relativa e temporal, o que Buda chamava de "esforço correto [no sentido de sábio]" é absolutamente obrigatório, e aprenderemos essa lição e a conheceremos em primeira mão conforme praticarmos por dias, semanas, meses, anos e décadas. Pois não há dúvidas de que, quando nos sentamos para meditar, muito frequentemente descobrimos que nossa capacidade de atenção é curta e difícil de sustentar e que nossa consciência, quase sempre, é nublada, a mente não tão luminosa e clara, os objetos de atenção menos vívidos, independentemente de qualquer autoexplicação sobre o estado natural e a natureza vazia e luminosa da mente. Então, é crucial ficarmos sentados em vez de pularmos assim que a mente ficar entediada ou agitada; voltarmos à respiração, por exemplo, ou nos desprendermos de uma cadeia de pensamentos que nos carregou; e descansarmos mais uma vez, e sempre, na consciência. Pois tudo isso – e, no fim, o que quer que emerja neste momento presente – se torna o "currículo" real do momento, o "currículo" real do *mindfulness* e da própria vida.

Depois de viver por um tempo com essas duas descrições de meditação, a instrumental e a não instrumental, você descobrirá que elas lentamente se tornam velhas amigas e aliadas confortáveis. A prática gradualmente, ou às vezes até de repente, transcende todas as ideias sobre prática e esforço, e qualquer esforço que façamos já não é esforço; é, na verdade, amor. Nossos esforços se tornam a incorporação do autoconhecimento e, portanto, da sabedoria. Ao mesmo tempo, não são grande coisa. Nós somos mais do que fazemos, pois não há diferença entre nós e a consciência, uma diferença mais substancial do que entre nós e nosso pé. Nunca estamos sem ela.

Ainda assim, o pé de um Mikhail Baryshnikov ou de uma Martha Graham em seu auge não é exatamente o mesmo pé de gente comum como nós. Os pés deles "sabem" algo que o nosso talvez não saiba, embora sua natureza seja a mesma. Podemos nos maravilhar com a igualdade e com a diferença. Podemos amá-las. E podemos, também, sê-las. Pois, em essência, já somos.

Para que se dar ao trabalho?
A importância da motivação

Se, da perspectiva meditativa, tudo o que você busca já está aqui, mesmo que seja difícil para a mente pensante entender, se realmente não há necessidade de adquirir nada nem conquistar algo, tampouco melhorar a si mesmo, se você já é inteiro e completo e, por algum motivo, o mundo também, então, por que diabos se dar ao trabalho de meditar? Por que desejaríamos cultivar o *mindfulness*, para começo de conversa? E por que usar métodos e práticas específicos que, de qualquer jeito, só estão a serviço de não nos levar para lugar nenhum e quando, além do mais, eu acabei de dizer que métodos e práticas não são o todo, enfim?

A resposta é que, enquanto o significado de "tudo o que você está buscando já está aqui" for só um conceito, ele só será um conceito, só outro belo pensamento. Sendo meramente um pensamento, ele é extremamente limitado em sua capacidade de transformação, de manifestar a verdade a que a afirmação aponta e, por fim, mudar a forma como você se conduz e age no mundo.

Mais do que qualquer coisa, passei a ver a meditação como um ato de amor, um ato interno de benevolência e gentileza com nós mesmos e com os outros, um gesto do coração que reconhece nossa perfeição mesmo em nossas óbvias imperfeições, com todos os nossos defeitos, nossas feridas, nossos apegos, nossas vexações e nossos hábitos de inconsciência persistentes. É um gesto muito corajoso: sentar-se por um tempo e estar no momento presente sem enfeites. Ao parar, olhar e ouvir, ao nos entregar a nossos sentidos, incluindo a mente, a qualquer momento, estamos incorporando o que consideramos mais sagrado na vida. Fazer o gesto, que pode incluir assumir uma postura específica para meditação formal, mas também pode envolver simplesmente estar mais presente ou nos perdoar mais, de imediato nos "(re)lembra" e "(re)incorpora". Em certo sentido, seria possível dizer que nos refresca, torna esse instante mais fresco, atemporal, livre, amplo. Em tais momentos, transcendemos quem achamos que somos. Vamos além de nossas histórias e nossos pensamentos incessantes, não importa quão profundos e importantes eles possam ser, e residimos na visão do que está lá para ser visto e no conhecimento direto, não conceitual, do que está aqui para ser conhecido, que não temos de buscar porque já está sempre aqui. Descansamos na consciência, no saber em si, que também inclui, é claro, não saber. Nos transformamos no saber e no não saber, como veremos várias e várias vezes. E, por estarmos completamente envolvidos na trama do universo, não há de fato limites para esse gesto benevolente de consciência, não há separação de outros seres, não há limite para coração ou mente, não há limite para nosso ser ou nossa consciência, para nossa presença de coração aberto. Em outras palavras, pode até soar como uma idealização. Quando experimentado, é apenas o que é, a vida se expressando, a senciência vibrando dentro do infinito, com as coisas simplesmente como são.

Descansar na consciência a qualquer momento envolve nos entregar a todos os sentidos, em contato com as paisagens internas e externas como um todo contínuo. E, assim, em contato com toda a vida que se desdobra em completude a cada momento e em cada lugar em que possamos nos encontrar, por dentro ou por fora.

Thich Nhat Hanh, mestre zen, professor de *mindfulness*, poeta e ativista da paz vietnamita, destaca assertivamente que um dos motivos para querermos *praticar* o *mindfulness* é que, na maior parte do tempo, estamos praticando seu oposto de maneira involuntária. Cada vez que temos raiva, nos tornamos melhores em ter raiva e reforçamos o hábito da raiva. Quando isso é muito forte, dizemos estar cegos de raiva, o que significa dizer que não vemos com precisão o que está acontecendo e, assim, perdemos a cabeça. Cada vez que somos egoístas, nos tornamos melhores em ser egoístas e em ficar inconscientes. Cada vez que ficamos ansiosos, nos tornamos melhores em ficar ansiosos. A prática realmente leva à perfeição. Sem consciência da raiva, do egoísmo, do fastio ou de qualquer outro estado mental que nos toma, reforçamos essas redes sinápticas dentro do sistema nervoso que estão por trás de nossos comportamentos condicionados e hábitos impensados, dos quais se tornam cada vez mais difícil nos livrar, isso se estivermos conscientes do que está acontecendo. A cada instante em que somos tomados por um desejo, uma emoção, um impulso, uma ideia ou uma opinião não examinados, somos instantaneamente e de maneira muito real aprisionados pela contração dentro da forma habitual de reagirmos, seja um hábito de nos fecharmos e nos distanciarmos, como na depressão e na tristeza, ou de explodirmos e sermos "sequestrados" emocionalmente por nossos sentimentos, quando mergulhamos na ansiedade ou na raiva – sempre acompanhados de uma contração da mente e do corpo.

Porém, e é um enorme "porém", há ao mesmo tempo uma potencial abertura, uma chance de *não* cair na contração – ou de nos recuperarmos dela mais rapidamente – *se* levarmos consciência a isso. Pois só estamos trancados na automaticidade de nossa reação e presos em suas consequências negativas (ou seja, o que acontece no momento imediatamente posterior, no mundo e em nós) por nossa cegueira naquele instante. Dissipando a cegueira, vemos que a gaiola em que pensávamos estar encerrados está aberta.

Cada vez que conseguimos entender um desejo como desejo, a raiva como raiva, um hábito como hábito, uma opinião como opinião, um pensamento como pensamento, um espasmo mental como um espasmo mental ou uma sensação intensa no corpo como uma sensação intensa, somos libertos. Nada mais tem de acontecer. Não temos nem de abrir mão do desejo ou do que quer que seja. Vê-lo e entendê-lo como *desejo*, ou como o que quer que seja, é suficiente. Em cada momento, estamos ou praticando *mindfulness*, atenção plena, ou, *de facto*, praticando desatenção. Quando colocado dessa forma, podemos querer assumir mais responsabilidade por como enfrentamos o mundo, interior e exteriormente em todo e qualquer instante – em especial, dado que simplesmente não há "momentos intermediários" em nossa vida.

Portanto, a meditação é ao mesmo tempo nada, pois não há lugar a ir nem nada a fazer, e o trabalho mais difícil do mundo, porque nosso hábito de desatenção é muito fortemente desenvolvido e resistente a ser visto e desmontado por meio da consciência. E são necessários método, prática e esforço para desenvolver e refinar nossa capacidade de consciência para que ela possa domar as qualidades ingovernáveis da mente, as quais, por vezes, a tornam tão opaca e insensata.

Por causa dessas características da meditação, ser nada e também o trabalho mais difícil do mundo, é necessário um alto nível de motivação para praticar estar totalmente presente sem apego nem identificação. No entanto, quem quer fazer o trabalho mais difícil do mundo quando já está assoberbado de mais coisas do que é possível dar conta – coisas importantes, necessárias, coisas a que se pode ser muito apegado para construir o que quer que se almeje construir ou chegar aonde quer que se queira chegar, ou até, às vezes, só para acabar com as coisas e riscá-las da lista de tarefas? E por que meditar quando isso não envolve fazer e quando o resultado de todo esse não fazer é nunca chegar a lugar nenhum a não ser onde se está? O que vou mostrar depois de todos os meus não esforços, que, apesar disso, tomam tanto tempo, energia, atenção?

Só posso responder que todo mundo que conheci que se envolveu com a prática do *mindfulness* e encontrou alguma forma de sustentá-la na vida por um período expressou a mim o sentimento de que, a certo ponto, em geral quando as coisas estão absolutamente horríveis, não imaginavam o que teriam feito sem ela. É mesmo simples assim. E profundo assim. Quando você pratica, entende o que eles querem dizer. Se não pratica, não há como saber.

E, claro, provavelmente, a maior parte das pessoas é atraída no início à prática do *mindfulness* por estar sofrendo, estressada, com algum tipo de dor ou insatisfeita com os elementos de sua vida e que, de alguma forma, podem ser corrigidos com a administração suave de observação, investigação e autocompaixão diretas. O estresse e a dor, assim, se tornam portais e motivadores potencialmente valiosos pelos quais pode-se iniciar a prática.

*

E mais uma coisa. Quando digo que a meditação é o trabalho mais difícil do mundo, não é totalmente preciso, a não ser que você entenda que não quero dizer "trabalho" no sentido comum, mas também como diversão. A meditação também é divertida. É hilário observar o funcionamento de nossa própria mente, em primeiro lugar. E ela é séria demais para ser levada tão a sério. Humor, diversão e subversão de qualquer noção de atitude devota em si são elementos críticos da prática de *mindfulness*. E, além do mais, talvez *ser pai* seja o trabalho mais difícil do mundo. Mas, se você é pai ou mãe, será que isso é tão diferente de *mindfulness*?

Recentemente, recebi um telefonema de um colega médico de 40 e tantos anos que tinha passado por uma artroplastia de quadril, surpreendente para sua idade, e precisara fazer ressonância magnética antes da operação. Ele contou como fora útil a respiração quando estava engolido pela máquina. Disse que não conseguia nem imaginar como seria para um paciente que não conhecesse o *mindfulness* e o uso da respiração se manter tranquilo numa situação tão difícil – embora, claro, isso aconteça todos os dias.

Ele também disse ter ficado impressionado com o grau de *mindfulness* que caracterizava muitos aspectos de sua internação. Tinha se sentido sucessivamente despido de seu *status* de médico, aliás muito reconhecido, e, depois, de sua personalidade e sua identidade. Tinha sido recipiente de "cuidados médicos", mas, no geral, esses cuidados não haviam sido tão cuidadosos. Cuidar exige empatia e *mindfulness*, e esta presença de coração, o que costumo chamar de *heartfulness*[11] – tudo isso, surpreendentemente, muitas vezes falta onde seria de imaginar que estivesse mais evidente. Afinal, chamamos de *cuidados* com a saúde. É impressionante, chocante e entristecedor que essas histórias, hoje, sejam tão comuns e venham inclusive dos próprios médicos quando se tornam pacientes e precisam de cuidados.

Para além da onipresença do estresse e da dor operando em minha própria vida, às vezes, das maneiras mais lacerantes, minha motivação para praticar o *mindfulness* é relativamente simples: cada momento perdido é um momento não vivido. Cada momento perdido torna mais provável que eu perca o momento seguinte e o atravesse coberto por hábitos desa-

---

11 Na maioria dos idiomas asiáticos, a palavra para *mente* e *coração* é a mesma, então, se você não ouve ou sente *"heartfulness"* quando escuta a palavra *"mindfulness"*, não entende de verdade sua dimensão e seu significado.

tentos de automaticidade de pensamento, sentimento e ação em vez de viver em, por e através da consciência. Vejo isso acontecer o tempo todo. Pensar a serviço da consciência é o paraíso. Pensar na ausência de consciência pode ser o inferno, pois a desatenção não é apenas inocente ou insensível, peculiar ou sem noção. Boa parte do tempo, é ativamente prejudicial, voluntária ou involuntariamente, tanto para nós mesmos quanto para os outros com quem entramos em contato ou dividimos a vida. Além do mais, a vida é avassaladoramente interessante, reveladora e impressionante quando participamos dela de coração e prestamos atenção às especificidades, mesmo em nossos momentos mais desafiadores ou indesejados.

Se somarmos todos os momentos perdidos, a desatenção pode consumir toda a nossa vida e colorindo praticamente tudo o que fazemos e todas as decisões que tomamos ou deixamos de tomar. É para isso que estamos vivendo, para perder e, portanto, interpretar mal nossa vida? Prefiro entrar na aventura todo dia de olhos abertos, prestando atenção ao que é mais importante, mesmo que continue me deparando, por vezes, com a debilidade de meus esforços (quando acho que são "meus") e a tenacidade de meus hábitos mais profundamente arraigados e robóticos (quando acho que são "meus"). Acho útil enfrentar cada instante de forma nova, como um começo, voltar e voltar a uma consciência do agora e deixar uma perseverança suave, mas firme, nascida da disciplina da prática e me manter ao menos um pouco aberto ao que surja e observar isso, apreender, aceitar no nível que eu consiga no momento, olhar profundamente e compreender o que seja possível conforme a natureza da situação se revela na atenção.

No fim das contas, o que mais há para fazer? Se não estivermos firmes em nosso ser, se não estivermos firmes no despertar, não estamos, na verdade, perdendo o presente de nossa vida e a oportunidade de fazer algum bem real aos outros?

Pode ajudar se eu perguntar ao meu coração, de vez em quando, o que é mais importante agora, neste momento, e ouvir com atenção a resposta.

Como disse Thoreau no fim de *Walden*: "Só amanhece o dia para o qual estamos despertos".

Mirar e sustentar

Uma colega saindo de um retiro disse que achava que a prática da meditação tinha a ver com mirar a atenção e depois sustentar aquele foco momento a momento. Na época, encarei isso como algo bastante óbvio, quase trivial. Além do mais, tinha muito sentido prático, pensei, muito sentido de fazer algo e, portanto, muita confiança em alguém fazendo esse algo. Levou anos para o valor dessa observação ter algum significado e se revelar fundamental.

Pois, da mesma forma que, para respirar, não é necessário pensar de nenhuma forma fundamental em "alguém" como "aquele que respira", embora possamos fabricar esse pensamento (como *"aquele que respira – devo ser eu, é claro, estou respirando"*), mirar e sustentar são ações que não exigem que alguém mire ou sustente, embora, de novo, possamos fabricar artificialmente esse alguém e estejamos basicamente predestinados a fazer isso no início, por causa de nosso hábito persistente do "eu". Na verdade, porém, tanto mirar quanto sustentar vêm naturalmente quanto mais confortáveis e experientes ficamos em descansar na consciência, no que podemos chamar "ser o conhecimento".

Vamos usar a respiração como exemplo. Respirar é fundamental para a vida. É algo que simplesmente acontece. Como regra, não prestamos muita atenção a isso, a não ser que estejamos engasgando ou nos afogando, ou que tenhamos alergia ou uma gripe. No entanto, imagine descansar na consciência da respiração. Fazer isso exige, primeiro, sentirmos a respiração e darmos a ela um lugar no campo da consciência, que vive mudando em termos do que a mente ou o corpo, ou o mundo, oferecem para divergir e distrair nossa atenção. Podemos ser capazes de sentir a respiração, mas, no momento seguinte, ela é esquecida em favor de alguma outra coisa. O mirar está aqui, mas não há sustentação. Então, temos de mirar de novo e de novo. Voltar e voltar e voltar à respiração, de novo e de novo. Cada vez notar, notar, notar e notar o que carrega nossa atenção.

A sustentação vem com a intenção de permitir a sustentação. Ela exige uma atenção considerável para permitir o foco nas sensações de respiração, sendo que nossa atenção é tão lábil, tão facilmente atraída para outro lugar. Com o passar de dias, semanas, meses e anos, porém, com atenção sábia e suave à sustentação e uma perseverança em nossa prática, que vem do amor por uma maior autenticidade que sentimos ser possível e, talvez, vagamente em falta na conduta e no desdobramento de nossa vida, passamos a descansar mais facilmente na respiração, no conhecimento de nossa vida, de momento a momento, enquanto ela se desdobra.

A sustentação é conhecida em sânscrito como *samadhi*, a característica focada da mente que tem um ponto único, é concentrada e, se não completamente inabalável, pelo menos relativamente estável. *Samadhi* se desenvolve e aprofunda conforme a atividade normalmente agitada de nossa mente se acalma por meio do exercício contínuo de nossa habilidade de reconhecer quando a mente saiu do objeto de atenção acordado, neste caso, a respiração, e trazê-la de volta de novo e de novo, sem julgamento, reação nem impaciência. Simplesmente mirando, sustentando, reconhecendo quando a sustentação evaporou e, então, visando novamente e sustentando mais uma vez. De novo e de novo e de novo e de novo. Como os lemes de um submarino ou as quilhas de um veleiro, o *samadhi* estabiliza e sustenta a mente mesmo enfrentando ventos e ondas, que de forma gradual se acalmam conforme param de ser alimentados por nossa desatenção e nosso verdadeiro vício à sua presença e ao seu conteúdo. Com a mente relativamente estável e firme, qualquer objeto que tenhamos em consciência se torna mais vívido e é apreendido com mais clareza.

Nos primeiros estágios, é mais provável que o *samadhi* se revele como uma possível condição de nossa mente quando assistimos a uma aula ou oficina, ainda mais num retiro de meditação estendido, quando nos isolamos de maneira intencional por um tempo do corre-corre da vida e suas infinitas preocupações, obrigações e ocasiões para distração e enfrentamos a realidade do que está em nossa mente quando ela é deixada em paz, relativamente. Apenas experimentar essa quietude elementar, sustentada do lado de fora e o silêncio e a relativa calma interiores que podem acompanhá-la, é motivo suficiente para arrumar a vida de modo a cultivar e nos banhar nessa possibilidade de tempos em tempos. Podemos passar a ver que as ondas e os ventos da mente não são fundamentais, apenas padrões climáticos a que nos prendemos habitualmente e, aí, nos perdemos, pensando que o conteúdo é mais importante, não a consciência em que o conteúdo de nossa mente pode se desdobrar.

Quando se experimenta algum grau de concentração e estabilidade de foco em sua atenção, é um pouco mais simples se acomodar nessa estabilidade mental e residir nela outras vezes fora dos retiros, bem em meio à uma vida ocupada. É claro que isso não significa que tudo na mente será calmo e pacífico. Somos visitados, ao longo do tempo, por todos os tipos de estados mentais e corporais, alguns agradáveis, outros desagradáveis, outros tão neutros que podem ser difíceis até de notar. Mas o que é mais calmo e mais estável é nossa habilidade de estar atentos. O que se torna mais estável é a plataforma de nossa observação. E, com um grau de calma sustentada em nossa atenção, se não nos prendermos a ela por si só, invariavelmente vem o desenvolvimento do *insight*, alimentado e revelado por nossa consciência, pelo próprio *mindfulness*, pela capacidade intrínseca da mente de conhecer todo e qualquer objeto de atenção em todo e qualquer momento, do modo que ele for, além do mero conhecimento conceitual de rotular e criar significado nas coisas por meio do pensamento.

O *mindfulness* discerne a respiração como profunda quando ela é profunda. Discerne a respiração como superficial quando ela é superficial. Conhece o entrar e conhece o sair. Conhece sua natureza impessoal da mesma forma que você sabe, de alguma forma profunda, que não é "você" que está respirando – há mais coisa acontecendo além de respiração. O *mindfulness* conhece a natureza transitória de cada respiração. Conhece todo e qualquer pensamento, sentimento, percepção e impulso quando ele surge dentro, em torno e fora de cada respiração. Afinal, o *mindfulness* é a característica de saber da consciência, a propriedade central da própria mente, e é fortalecido pela sustentação e se autossustenta. O *mindfulness* é o campo do conhecimento. Quando esse campo é estabilizado pela quietude e o foco único, o surgimento do conhecimento em si é sustentado, e a qualidade do conhecimento, fortalecida.

O conhecimento das coisas como elas são é chamado sabedoria. Ele vem de confiar em sua mente original, que nada mais é que uma consciência estável, infinita, aberta. É um campo do conhecimento que apreende instantaneamente quando algo aparece, ou se move, ou desaparece dentro de sua vastidão. Como o campo do brilho do sol, ele está sempre presente, mas é obscurecido por nuvens com frequência. Neste caso, a nebulosidade autogerada dos hábitos de distração da mente, sua infinita proliferação de imagens, pensamentos, histórias e sentimentos, muitos deles não muito precisos.

Quanto mais praticamos apontar e sustentar nossa atenção, mais aprendemos a descansar sem esforço na sustentação, como quando apertamos o pedal de sustentação de um piano – as notas continuam reverberando muito depois de as teclas serem apertadas.

Quanto mais descansamos sem esforço na sustentação, mais o brilho natural de nossa própria natureza, como sabedoria e amor ao mesmo tempo localizados e infinitos, se revela, já não obscurecidos pelos outros nem, mais importante, por nós mesmos.

Presença

Se você por acaso tropeçar em alguém que está meditando, vai saber de imediato que entrou na órbita de algo incomum e impressionante. Como eu dou aulas e retiros de meditação, passo por essa experiência muito frequentemente. Olho, às vezes, para centenas de pessoas sentadas em silêncio, de maneira proposital, sem nada acontecendo, exceto o que está se passando nas várias paisagens interiores da vida que se desdobra naquele momento para cada um ali. Algum passante pode achar estranho ver cem indivíduos sentados numa sala em silêncio, sem fazer nada – não por um breve momento, mas por minutos a fio, talvez até uma hora. Ao mesmo tempo, aquela pessoa pode ser tocada de alguma forma por uma sensação palpável de presença emanando, uma experiência rara demais para qualquer um de nós. Se você fosse aquela pessoa, mesmo que não tivesse ideia do que estivesse acontecendo, poderia facilmente se encontrar, de forma inexplicável, atraído a permanecer ali, a observar tal reunião com grande curiosidade e interesse, compartilhando do campo de energia do silêncio. É algo intrinsecamente atraente e harmônico. A sensação de uma atenção alerta sem esforço por trás desse sentar-se em silêncio sem se mexer é, em si, empoderadora, assim como a sensação de intencionalidade incorporada numa dessas assembleias.

Atenção e intenção. Duzentas pessoas presentes no silêncio do *mindfulness*, sem se mexer, sem compromisso a não ser estar presentes: isso é uma manifestação desconcertante da bondade humana por si só. Essa presença que não se move é profundamente emocionante. Na verdade, porém, sou tocado pelo mesmo sentimento quando estou na presença de uma só pessoa sentada.

Em qualquer momento, numa sala com centenas de pessoas meditando, algumas podem estar com dificuldades e distraídas, trabalhando para estar presentes, o que é diferente de estar presente, ainda que, a cada instante, se esteja apenas a um átomo de distância. No entanto, pode parecer um golfo infinito quando se está pensando ou lutando, ou com dor. Então, interiormente, pode haver muitas idas e vindas, muito entrar e sair de consciência, em especial quando a estabilidade da atenção não é muito desenvolvida. Em geral, isso se traduz em inquietude externa, balançar, se mexer e deixar o corpo cair.

Naqueles que desenvolveram um nível de concentração ou que são naturalmente mais concentrados e focados, contudo, uma sensação de presença realmente emana. Pode parecer que estão iluminado por dentro. Às vezes, a paz de um rosto me emociona. Em algumas ocasiões, há um mínimo sorriso, completamente imóvel à passagem do tempo, não um sorriso do tipo "ha-ha", não isso, não o sorriso por algum assunto, mas, precisamente, naquele momento, pela ausência de um assunto. É fácil de ver. A pessoa já não é mais só uma pessoa ou uma personalidade. Ele ou ela se transformou em ser, puro e simples. Somente ser. Somente despertar. Somente paz. Então, estando em paz, naquele instante, a beleza da pessoa como puro ser é inconfundível.

Não preciso de fato ver nada disso para sabê-lo. Consigo sentir com os olhos fechados. Sentado em frente aos participantes do retiro, ou fazendo eu mesmo o retiro, cercado por outras pessoas todas sentadas em silêncio numa sala por cerca de uma hora, sinto a presença e a beleza dos que estão à minha frente ou ao meu redor muito mais do que se estivéssemos conversando. Embora muitos possam sentir dor ou lutar, sua disposição de estar no desconforto e abertos a ele os leva a esse campo de presença, o campo do *mindfulness*, da iluminação silenciosa.

Quando professores fazem a chamada em salas de aula ao redor do mundo, as crianças, em qualquer idioma, respondem dizendo o equivalente a "presente", e com isso todos concordam, tacitamente, que, sim, a criança está na sala, não tem erro. O aluno acha isso, os pais acham isso e o professor acha isso. No entanto, boa parte do tempo, só o corpo da criança está presente na sala de aula. O olhar dela pode estar do lado de fora da janela por longos períodos, talvez anos, vendo coisas que ninguém mais está vendo. A psique dessa criança pode estar na terra de sonhos das fantasias ou, se for fundamentalmente feliz, só encarnar na sala de aula ocasionalmente, pois ela tem trabalhos cármicos mais importantes a fazer. Ou a criança pode, sem que ninguém saiba, habitar um pesadelo de ansiedade, atormentada por demônios de dúvida ou autodepreciação ou turbulência entorpecedora, do tipo que não pode ser dito em voz alta nesses cenários, ou nunca, e que torna estar presente e se concentrar tarefas quase impossíveis. No mundo da criança, ela é consistente e regularmente, ou mesmo esporadicamente, abusada, ignorada ou negligenciada.

Os tibetanos usam o termo *"kundun"* para falar de Dalai Lama. A palavra *kundun* significa a "Presença". Não é um termo impróprio nem um exagero. Na presença dele, você se torna mais presente. Tive oportunidade de observá-lo em diversas ocasiões durante alguns dias, numa sala com um pequeno número de pessoas, muitas vezes durante palestras e conversas científicas complexas acontecendo, naturalmente, com graus de interesse variados. Apesar disso, ele parece estar ali o tempo todo não apenas em pensamento, mas também no tom de seu sentimento. Ele dá atenção à questão do momento, e notei que todos nós ao seu redor nos tornamos não só mais presentes, mas mais abertos e amorosos, só de estar junto. Ele interrompe quando não compreende, ele pondera profundamente, pode-se perceber em seu rosto. Fechado com cientistas, monges experientes, acadêmicos, ele regularmente faz perguntas incisivas durante as palestras, às quais é frequente a resposta:

— Vossa Santidade, isso é exatamente o que nos perguntamos nesse ponto; é o próximo experimento que decidimos fazer.

Ele, por vezes, pode parecer distraído, mas, em geral, estou enganado se penso isso, porque ele continua por dentro no assunto. Com frequência, porém, parece pensar profundamente, confuso ou ponderando algo. No instante seguinte, pode se mostrar brincalhão, radiando alegria e gentileza. Seria possível dizer que ele nasceu assim, e é uma história totalmente diferente, claro, mas essas características também são resultado de anos de certo treinamento rigoroso da mente e do coração. Ele é a incorporação desse treinamento, embora, de maneira modesta, diga que não é nada, o que também é completamente correto.

Quando certa vez lhe perguntaram por que as pessoas reagem tão afetuosamente a ele, a resposta foi:

— Não tenho qualidades especiais. Talvez seja porque passei a vida toda meditando sobre amor e compaixão com toda a força de minha mente.

Aparentemente, *kundun* faz isso por quatro horas toda manhã, não importando as demandas do dia nem onde ele esteja, e de novo de maneira breve no fim do dia. Imagine só!

Estar presente não é nada trivial. Pode ser o trabalho mais difícil do mundo. Na verdade, esqueça a parte do "pode ser", pois é o trabalho mais difícil do mundo – pelo menos, sustentar a presença – e o mais importante. Quando você de fato entra na presença – crianças saudáveis vivem na paisagem da presença a maior parte do tempo –, sabe instantaneamente, se sente em casa instantaneamente. Uma vez em casa, podemos relaxar, nos soltar, descansar em nosso ser, descansar na consciência, na própria presença, em sua própria boa companhia.

Kabir, poeta da Índia do século XV reverenciado tanto por muçulmanos quanto por hindus, tem uma forma feroz de descrever o chamado da presença e quão facilmente ele nos escapa:

*

Amigo, espere pelo Convidado enquanto está vivo.
Salte para a experiência enquanto está vivo!
Pense... e pense... enquanto está vivo.
O que chama de "salvação" pertence ao tempo anterior à morte.

Se não quebrar seus limites enquanto estiver vivo,
você acha
que os fantasmas o farão depois?
A ideia de que a alma entrará no êxtase
só porque o corpo está apodrecido –
não passa de fantasia.
O que se encontra agora se encontrará depois.
Se não encontrar nada agora,
acabará apenas com um apartamento na Cidade da Morte.
Se fizer amor com o divino agora, na próxima vida
terá o rosto do desejo satisfeito.

Então, mergulhe na verdade, descubra quem é o Professor,
Acredite no Grande Som!

Kabir diz isto: quando se busca o Convidado, é a intensidade do anseio pelo Convidado que faz todo o trabalho. Olhe para mim e verá um escravo dessa intensidade.

Kabir
Traduzido com base na versão em inglês de Robert Bly

Um ato radical de amor

Em sua manifestação externa, a meditação envolve, estaciona o corpo numa imobilidade que suspende qualquer atividade, se entregando a um movimento fluido. Em todo caso, é uma incorporação da atenção sábia, um gesto interno feito, na maior parte, em silêncio, uma mudança de fazer para apenas ser. É um ato que pode, de início, parecer artificial, mas que logo descobriremos, se continuarmos com ele, ser, afinal, de amor puro pela vida que se desdobra dentro de nós e ao nosso redor.

Quando guio uma meditação com um grupo de pessoas, frequentemente me vejo encorajando-as a jogar fora o pensamento "estou meditando" e apenas estar despertas, sem tentar, sem segundas intenções, sem ideias sobre como aquilo devia se parecer ou qual devia ser a sensação ou onde sua atenção devia estar pousada... simplesmente despertar para o que existe neste momento, sem enfeite ou comentário. Esse despertar não é tão fácil de experimentar, no início, a não ser que você esteja realmente em sua mente de iniciante[12]; ainda assim é uma dimensão da meditação que é essencial conhecer desde o começo, mesmo se a experiência de uma consciência tão aberta, espaçosa e livre de escolhas parecer fugidia em determinado momento.

Como precisamos simplificar, e não complicar, no começo é difícil sair do nosso próprio caminho o suficiente para experimentar essa sensação de não fazer totalmente disponível, de descansar no ser sem segundas intenções, mas totalmente despertos. Essa é a razão para haver tantos métodos e técnicas para meditar e tantas direções e instruções diferentes, ao que eu às vezes me refiro como "andaimes". Você pode pensar nesses métodos como formas úteis de nos trazer de volta, intencional e propositadamente, de uma miríade de direções e lugares diversos em que podemos estar presos, estupefatos, confusos. São formas de nos trazer de volta ao silêncio total e aberto, ao que se pode chamar de despertar original, que, na verdade, nunca deixou de estar aqui, nunca deixa de estar aqui, assim como o sol sempre brilha e o oceano sempre está tranquilo em suas profundezas.

Tenho uma sensação de que meu barco bateu, lá embaixo nas profundezas, contra algo grande.

E nada acontece! Nada... Silêncio... Ondas...

---

[12] Frase usada por Suzuki Roshi, fundador do Centro Zen de São Francisco, para capturar a inocência de uma investigação aberta e desimpedida de meditação sobre quem é você e o que é a mente por meio da experiência direta. "Na mente de iniciante, há muitas possibilidades; na mente do especialista, há poucas."

> — *Nada acontece? Ou tudo aconteceu,*
> *e estamos agora, silenciosamente, na nova vida?*
>
> Juan Ramon Jiménez, "Oceanos"
> Traduzido com base na versão em inglês de Robert Bly

Como o ritmo de nossa vida continua a acelerar, impulsionado por uma série de forças aparentemente fora de nosso controle, cada vez mais somos atraídos a nos engajar na meditação, nesse ato radical de ser, esse ato radical de amor. Por mais impressionante que possa parecer, dada a orientação materialista, "dá para fazer", ainda que ela esteja obcecada por velocidade, progresso, pela vida das celebridades e dos outros, pelas mídias sociais. Estamos indo na direção da consciência meditativa por vários motivos, inclusive para manter nossa sanidade individual e coletiva, recobrar nossa perspectiva e nosso senso de significado ou simplesmente para lidar com o estresse e a insegurança absurdos desta época. Parando e, de maneira intencional, despertando para a forma como as coisas são neste momento, com propósito, sem sucumbir às nossas próprias reações e julgamentos – e, quando sucumbirmos, trabalhando isso com sabedoria e uma dose de autocompaixão, devido à nossa disposição de habitar por um tempo o momento presente (apesar de todos os nossos planos e atividades estarem voltados a outro objetivo, completar um projeto ou perseguir nossos desejos) –, descobrimos que esse ato é ao mesmo tempo imensa e desanimadoramente difícil e completamente simples, profundo, enormemente possível e restaurador de mente e corpo, alma e espírito, bem ali naquele momento.

Então, de fato, é um ato radical de amor sentar-se e ficar em silêncio por um tempo sozinho. Sentar-se dessa forma é, na verdade, uma maneira de assumir uma posição em sua vida como ela é agora, não importa como. Assumimos uma posição aqui e agora, nos sentando e permanecendo eretos.

O desafio desta era é ficar são num mundo cada vez mais insano. Como vamos fazer isso, se estamos continuamente presos ao falatório de nossa mente e à perplexidade de nos sentirmos perdidos ou isolados, desconectados do que tudo significa e de quem somos de verdade quando sentimos que todas as ações e conquistas são, de alguma forma, vazias e percebemos como a vida é curta? No fim, só o amor pode nos dar *insights* sobre o que é real e o que é importante. Portanto, um ato radical de amor faz sentido – amor pela vida e pela emergência do eu mais verdadeiro.

Simplesmente sentar e entrar na presença é uma forma pungente e potente de afirmar que estamos lentamente, mas com certeza caindo em nós, e que aquele mundo de experiência direta por trás de todas as reações de emoção e de pensamento, e de todo o egoísmo, ainda está intacto e totalmente disponível para nosso socorro, nossa cura e nosso conhecimento de como ser e, quando voltarmos ao fazer, para o conhecimento de como agir e como, pelo menos, começar de novo.

Consciência e liberdade

Você já notou que sua consciência da dor não sente dor, mesmo que você sinta? Tenho certeza de que sim. É uma experiência muito comum, especialmente durante a infância, mas que em geral não examinamos nem comentamos, porque é muito fugidia e a dor é muito mais intensa quando nos domina.

Você já notou que sua consciência do medo não sente medo, mesmo quando você está horrorizado? Ou que sua consciência da depressão não está deprimida; que sua consciência de seus maus hábitos não é escrava desses hábitos; ou talvez até que sua consciência de quem você é não é quem você pensa que é?

É possível testar qualquer uma dessas proposições por si mesmo sempre que investigar a consciência – tornando-se consciente da própria consciência. É fácil, mas quase nunca pensamos em fazê-lo, pois a consciência, como o próprio momento presente, é praticamente uma dimensão escondida de nossa vida, inserida em todo lugar e, portanto, não tão perceptível em qualquer lugar.

A consciência é imanente e infinitamente disponível, mas camuflada, como um animal tímido. Em geral, exige algum grau de esforço e tranquilidade, se não firmeza, para vislumbrá-la – e ainda mais para conseguir um olhar sustentado –, embora ela esteja inteiramente aberta. Você precisa estar alerta, curioso, motivado a vê-la. Com a consciência, você tem de estar disposto a deixar o conhecimento se aproximar, convidá-la, silenciosa e habilmente no meio do que você estiver pensando ou experimentando. Afinal, você já está vendo; já está ouvindo. Há consciência em tudo isso, chegando por todas as portas dos sentidos, inclusive sua mente, aqui, agora.

Se você entrar na consciência pura em meio à saúde, mesmo no menor dos momentos, sua relação com a dor vai mudar imediatamente naquele instante. É impossível não mudar, porque o gesto de segurá-la, mesmo que não seja sustentado por muito tempo, só por um ou dois segundos, já revela sua dimensão maior. Essa mudança em sua relação com a experiência proporciona mais graus de liberdade a sua atitude e a suas ações em determinada situação, independentemente de qual seja... e mesmo que você não saiba o que fazer. O não saber é um tipo de conhecimento, quando o não saber é, em si, abraçado em consciência. Parece estranho, eu sei, mas, com a prática contínua, pode começar a fazer um sentido real para você, visceralmente, no âmago, bem mais profundamente que o pensamento.

A consciência transforma a dor emocional assim como transforma a dor que atribuímos mais ao domínio das sensações corporais. Quando estamos imersos em dor emocional, se prestarmos muita atenção, notaremos que há sempre uma sobreposição de pensamentos e uma abundância de sentimentos diferentes *sobre* a dor em que estamos. Então, também aqui, toda a constelação do que entendemos como dor emocional pode ser bem recebida e sustentada em consciência, por mais louco que isso pareça. É incrível como não estamos acostumados a isso e quão profundamente revelador e libertador pode ser engajar nossas emoções e nossos sentimentos dessa forma, mesmo quando se trata de fúria ou desespero – em especial quando se trata de fúria ou desespero.

Nenhum de nós precisa infligir dor a si mesmo apenas para testar essa propriedade única de a consciência ser maior do que nossa dor, e de natureza totalmente diferente. Somente precisamos estar alertas para a chegada da dor quando ela aparece, independentemente da forma. Nossa vigilância dá lugar à consciência no momento do contato com o evento iniciador, seja ele uma sensação, seja um pensamento, um olhar ou um relance, o que alguém diz ou o que acontece em determinado instante. A aplicação da sabedoria acontece bem ali, *no* ponto de contato, no momento do contato (você se lembra da princesa que topou o dedão?), não importa se acaba de martelar o dedo ou se está enfrentando um ou outro aspecto da catástrofe total; de repente, luto e tristeza, raiva e medo parecem ter assumido uma residência aparentemente fixa em seu mundo.

É nesse momento, e logo em seguida, que podemos levar consciência à condição na qual nos encontramos, a condição do corpo, da mente, do coração. Então, damos mais um salto, levando consciência à própria consciência, notando se sua consciência em si está com dor, raiva, medo ou tristeza.

A consciência não estará e não pode estar, mas você mesmo tem de examinar. Não há liberdade no pensamento. O pensamento apenas é útil para nos lembrar de olhar e de abraçar aquele momento específico de forma consciente e, então, trazer consciência à nossa consciência. É nesse ponto que examinamos. Seria até possível dizer que isso é o exame, pois a consciência sabe instantaneamente. Pode durar somente um momento, mas, nesse instante, eis a experiência de liberdade. A porta para a sabedoria e para o *heartfulness*, qualidades naturais de nosso ser quando experimentamos a liberdade, se abre bem naquele momento. Não há nada mais a fazer. A consciência se abre e nos convida a observar, mesmo que por um segundo, e perceber por nós mesmos.

Não estou sugerindo que a consciência seja uma estratégia fria e sem sentimentos para nos afastar das profundezas de nossa dor em momentos de angústia e perda ou em suas consequências duradouras. Perda e angústia, luto e pesar, ansiedade e desespero, bem como a alegria disponível a nós, estão no centro de nossa humanidade, são sentimentos que somos convidados a enfrentar quando surgem e a conhecer e a aceitar como são. É precisamente voltar e abraçar, em vez de nos afastar ou negar, ou suprimir, um sentimento que é bastante necessário e que a consciência incorpora. A consciência pode não diminuir a enormidade de nossa dor em todas as circunstâncias – nem deveria. No entanto, ela fornece uma cesta maior para segurar com ternura e conhecer intimamente nosso sofrimento em toda e qualquer circunstância. E isso, afinal, é transformador e pode fazer toda a diferença entre a prisão infinita na dor e no sofrimento e a liberdade do sofrimento, embora não tenhamos imunidade às várias formas de dor a que, como seres humanos, estamos invariavelmente sujeitos.

É claro, não faltam oportunidades grandes e pequenas para trazer consciência ao que quer que aconteça em nosso dia a dia, e, nesse sentido, nossa vida pode se tornar um contínuo cultivo de *mindfulness*. Aceitar o desafio de despertar para a vida e ser transmutado pelo próprio despertar é uma forma especial de ioga, a ioga do dia a dia, aplicável em todo e qualquer instante: no trabalho; em nossos relacionamentos; na criação dos filhos, se formos pais; em nossas relações com nossos pais, estejam vivos ou mortos; em nossa relação com nossos pensamentos sobre o passado e o futuro; em nossa relação com nosso corpo. Podemos levar consciência ao que quer que esteja acontecendo, a momentos de conflito e de harmonia e a momentos tão neutros que podemos nem notar. A cada instante, você pode testar por si, levando consciência a ele, se o mundo se abre ou não em resposta a seu gesto de *mindfulness*, "se oferece" ou não, na frase linda da poeta Mary Oliver, "à sua imaginação", fornece ou não novas formas maiores de ver e estar com o que existe. Assim, talvez, você possa se libertar dos perigos da visão parcial e do apego em geral forte que pode ter a qualquer visão parcial, simplesmente porque ela é sua e você é, portanto, parcial a ela. Mais uma vez fascinados com a "história do eu" que criamos de maneira involuntária, mesmo sentindo muita dor, só por hábito, temos a oportunidade ou inúmeras oportunidades, de ver seu desdobramento e parar de alimentá-lo, emitir uma medida cautelar, se necessário, virar a chave que estava na fechadura o tempo todo, sair da prisão e, assim, encontrar o mundo de formas novas e mais expansivas e apropriadas, abraçando-o por completo em vez de contraindo-o, retraindo-o ou afastando-o. Essa disposição de abraçar o que existe e trabalhar com isso exige muita coragem e presença de espírito.

Então, a qualquer momento, independentemente do que esteja acontecendo, podemos examinar e ver por nós mesmos. A consciência se preocupa? A consciência se perde em raiva, cobiça ou dor? Ou a consciência, levada para qualquer momento, mesmo o mais minúsculo, simplesmente sabe e, sabendo, nos liberta? Verifique. Minha experiência é que a consciência nos devolve a nós mesmos. Essa é a única força que conheço capaz disso. Ela é a essência da inteligência física, emocional e moral. Parece que precisa ser conjurada, mas, na realidade, está aqui o tempo todo, esperando para ser descoberta, recoberta, abraçada, esperando que nos instalemos nela. O refinamento aparece neste ponto, em relembrar. E, em seguida, em desapegar e deixar estar, descansar – nas palavras do grande poeta japonês Ryokan, "só isso, só isso". É isso que se quer dizer com *prática* de *mindfulness*.

Como vimos, há duas partes no desafio: primeiro, levar consciência a nossos momentos o melhor possível, mesmo de formas pequenas e fugidias; segundo, sustentar nossa consciência, conhecê-la melhor e morar dentro de seu todo maior, nunca diminuto. Quando fazemos isso, vemos os pensamentos se libertarem, mesmo em meio à tristeza, como quando esticamos a mão e tocamos numa bolha de sabão. *Puff.* Foi-se. Vemos a tristeza se libertar, mesmo enquanto agimos para acalmá-la nos outros e descansar na pungência do que existe.

Nessa liberdade, podemos enfrentar toda e qualquer coisa com maior abertura. Conseguimos sustentar os desafios com que nos deparamos, agora, com mais bravura, paciência e clareza. Já vivemos numa realidade maior, uma que podemos utilizar abraçando a dor e a tristeza quando surgirem, com presença sábia e amorosa, com consciência, com atos genuínos de gentileza e respeito em relação a nós e aos outros que já não se perdem na divisão ilusória entre interior e exterior.

Fazer isso, porém, agir em consciência, em termos práticos, durante uma vida toda, costuma exigir algum modelo geral que nos dê paz para começar, receitas a testar, mapas a seguir, lembretes sábios para nós mesmos, todos os benefícios da experiência e do conhecimento duramente adquiridos por outros. E isso inclui, quando precisamos deles, várias rampas que levam à consciência e à liberdade e, ironicamente, estão aqui para nós a todo e qualquer momento, ainda que, às vezes, pareçam muito distantes e fora de nosso alcance.

Sobre linhagem e os usos e as limitações dos andaimes

> *Se eu fui capaz de ver mais longe, foi só por estar sobre o ombro de gigantes.*
> SIR ISAAC NEWTON

Todos sabemos, de forma implícita, que há enorme vantagem em usar o que veio antes, construído com o gênio criativo e trabalho duro de outros que esticaram o limite dos esforços e da dedicação para ver profundamente a natureza das coisas, fossem esses exploradores precursores cientistas, poetas, artistas, filósofos, artesãos, fossem iogues. Em qualquer domínio que envolve o aprendizado, nos vemos sobre o ombro dos que vieram antes de nós, esticando o pescoço para perceber o que eles, com enorme dedicação e esforço, conseguiram discernir. Se formos sábios, faremos todo o trabalho de ler os mapas deles, viajar por seus caminhos, explorar seus métodos, confirmar suas descobertas, para podermos saber onde começar e do que podemos nos apropriar, sobre o que construir e onde estão novos *insights*, oportunidades e inovações em potencial. Muitas vezes, andamos gravemente desatentos ao chão em que pisamos, às casas em que vivemos, às lentes através das quais enxergamos, tudo isso regalado a nós, quase sempre anonimamente, por outros. W. B. Yeats reconheceu nossa dívida infinita em relação à criatividade e ao trabalho dos que vieram antes de nós e dedicou quatro linhas de gratidão hoje imortal àqueles que chamou de instrutores desconhecidos, cujas conquistas profundas, mas, de certa forma, fugidias, evanescentes e incomparáveis, se mostraram essenciais para o que depois foi construído ou conhecido:

> O que se propuseram a fazer
> Acabaram por ensinar:
> Tudo se pendura como uma gota de orvalho
> Numa folha a balançar.

Nossa habilidade de falar e pensar em palavras é um exemplo de nossa incapacidade de alcançar os picos até de nossa capacidade biológica inata por nossos próprios esforços. Todos temos o potencial da língua falada. No entanto, se um ser humano cresce isolado desde a infância, sem aprender a linguagem por meio da exposição, essa capacidade, parece não poder se desenvolver por completo mais tarde. Grandes faixas de funções mentais, cognitivas e emocionais, são perdidas, e o discurso, até o raciocínio, fica severamente restrito.

O modelo existe desde o início, mas precisa ser aprimorado, esculpido, moldado, alimentado pela imersão em sons feitos por seres humanos, exposição aos rostos que fazem esses sons, ao olho no olho, à inflexão, às relações com outros humanos, aos seus cheiros além de seus sons, a uma conexão emocional ricamente sensorial. Afinal, o cérebro se programa de formas importantes como resultado de experiências, e isso, ao que parece, precisa acontecer durante uma janela de desenvolvimento cronológico para que a linguagem se desenvolva. Se essa janela, por algum motivo, for perdida, permaneceremos praticamente mudos, com nossa própria capacidade natural e seu potencial desenvolvimento simplesmente fora de alcance, pois a dimensão interpessoal e relacional não estava lá para sustentar nem esculpir a capacidade inata.

Para dar outro exemplo, ainda mais fundamental, a própria biologia é histórica em absoluto. A vida nova vem da antiga, pois a vida se constrói sobre si mesma. As células não brotam por completo formadas de ambientes não celulares, embora se acredite que, em suas formas mais rudimentares, é provável que elas tenham evoluído em um ambiente prebiótico sob condições vastamente diferentes das que temos hoje, talvez há 3 bilhões de anos. A estrutura celular cresce e, continuamente, adiciona coisas a si, cria mais de si, ao mesmo tempo que mantém a própria integridade organizacional cujo nome é *autopoiese*. Alguns cientistas veem como a primeira ligação rudimentar entre vida e cognição, o conhecimento original de si, por assim dizer. Sendo ou não o caso, não teríamos vida nova sem uma estrutura precedente a partir da qual ela emerge continuamente em sua arquitetura molecular tridimensional. A vida é absolutamente histórica.

Assim, em todos os níveis – do biológico ao psicológico, ao social, ao cultural –, há uma necessidade fundamental do que chamo de "andaimes". Dependemos de instruções, diretrizes, contextualização, relação e linguagem para nos aventurarmos significativamente na floresta de nossa mente e da natureza, o cosmos em que nos encontramos, mesmo que, por vezes, nos afastemos do caminho percorrido e abramos nossa trilha em domínios desconhecidos. Esse corpo de conhecimento foi desenvolvido, refinado e destilado durante séculos e milênios por linhagens daqueles que vieram antes; linhagens especializadas em sobrevivência por meio da caça e da coleta; linhagens na domesticação de plantas e animais selvagens; linhagens na ciência, na engenharia e na arquitetura, nas artes e nas tradições meditativas também. Essas linhagens nos legaram uma história de conhecimento de certas paisagens, ricamente desenvolvidas e duramente conquistadas, além das habilidades para navegá-las com eficiência, extraídas e emolduradas de formas que podemos melhorar, mas só depois de termos penetrado e compreendido os caminhos abertos pelos outros, suas instruções para fazer o que fizeram e ir aonde foram, e depois de sermos íntimos, pelo menos até certo grau, do terreno e dos desafios que eles descreveram e das soluções que encontraram.

Esse é nosso legado ao chegar à prática da meditação. Afinal, as práticas meditativas não caíram do céu. Aqueles que vieram antes de nós, as linhagens diretas e ramificadas, professores desde a época de Buda e de bem antes de Buda, nos dão um mapa, uma oferta a explorarmos e avaliarmos. Esses mapas podem amplificar e enriquecer nossas possibilidades de exploração interna da mente humana e de seu potencial, nas quais já embarcamos. Como seres humanos, temos muitíssima sorte de ter tal legado disponível, de ter ombros tão elevados e firmes nos quais nos apoiar.

Pois, embora as práticas de meditação possam à primeira vista parecer bastante objetivas e talvez até obviamente benéficas, o poder completo do exame meditativo, a necessidade de uma disciplina rigorosa, o uso da própria vida, da mente e do corpo como laboratório de exploração do mais fundamental em nossa humanidade e o poder inerente numa comunidade de indivíduos que reconhecem sua interconexão fundamental num mundo em constante mudança, com incerteza e vulnerabilidade são legados que é provável que não encontremos sozinhos. No entanto, dados a nós mais como uma ciência da mente e do coração do que qualquer outra coisa, podendo participar deles e desenvolvê-los, assim como, individual e coletivamente, desenvolvemos o que existia antes em outros campos de conhecimento e compreensão.

Sabemos, é claro, que há casos raros, raríssimos, de gênios autodidatas. Porém, até Mozart estudou com seu pai e até Buda praticou nas tradições meditativas da época antes de abrir seu próprio caminho, indo além do que tinha aprendido com os outros, desenvolvendo o que viera antes, inspirado, como diz a história, meramente por um renunciante que passou por ele vagando com um semblante radiante e em paz certo dia.

Quase todos os cientistas têm, eles mesmos, mentores ou pessoas que os inspiraram a olhar e questionar de uma forma profunda e talvez diferente e inovadora. Até James Clerk Maxwell, que produziu o que hoje conhecemos como equações de Maxwell para o eletromagnetismo – uma das conquistas colossais na física do século XIX – ancorou seus esforços no trabalho de Michael Faraday, que o precedeu e compartilhava muitas de suas intuições, se não seu virtuosismo matemático. Para chegar a sua descoberta estonteante, descrevendo precisamente com quatro equações matemáticas a propagação dos campos eletromagnéticos pelo espaço, Maxwell empregou uma analogia mecânica, um modelo mental de engrenagens que giram, para explicar a si mesmo como as forças misteriosas, nunca antes visualizadas, da eletricidade e do magnetismo estariam relacionadas. O modelo estava completamente errado, mas serviu como andaime, permitindo-lhe escalar até onde, por fim, ele conseguia ver, onde era possível a verdadeira descoberta sobre a natureza das forças que ele tentava compreender. As quatro equações às quais ele chegou escalando o andaime de pensamento que erigiu estavam inteiramente corretas e completas.

Maxwell foi inteligente o bastante para nunca publicar seu modelo mecânico. Ele tinha transcendido sua utilidade e servido a seu propósito. A lei dos campos eletromagnéticos invisíveis e intangíveis fora descrita com objetividade total. Portanto, o andaime não era mais importante.

Assim também ocorre com a meditação. É possível utilizar diversos tipos de andaime, muitos criados por nós, muitos adotados por aqueles que vieram antes, para nos motivar e nos ajudar na busca por conhecimento e compreensão do terreno de nossa mente e corpo e sua relação íntima com o domínio que chamamos de mundo. A certo ponto, contudo, teremos de transcender o andaime, as plataformas que erigimos para nos ajudar a ver, se quisermos ir além de nossos próprios modelos conhecidos e herdados e chegarmos à experiência direta do que as instruções, as palavras e os conceitos apontam.

Com raras exceções, é provável que sentar-se por um tempo "para meditar" de vez em quando, ou até regularmente, por anos não alimente por si só o *insight*, a transformação ou a libertação, embora esse próprio impulso seja valioso, e a fé profunda em seu valor fundamental e sua bondade essencial seja crítica para começar essa aventura. Via de regra, precisamos contextualizar nossos esforços nessas linhas, mas sem nos prendermos às narrativas geralmente incluídas nesse modelo e contexto.

Essas narrativas de meditação incluem a noção de um destino fixo. Na meditação, por mais clichê que possa parecer, como estamos insinuando com a ênfase no momento presente e a percepção de que tudo já está aqui e não há "lugar" para ir, a jornada em si é o mais importante. O destino, de maneira muito real, está sempre "aqui", assim como o que se pode descobrir na ciência sempre está aqui mesmo antes de ser visto, conhecido, descrito, testado, confirmado, compreendido. Lembre-se de que Michelangelo alegou ter removido o que precisava ser removido de um bloco de mármore, revelando a imagem que ele "viu" com seu olhar profundo de artista e que, em certo sentido, estava lá desde o começo. Sem trabalho real, porém, o que quer que seja revelado no domínio de nossa mente e nosso coração, embora já esteja lá, continua opaco e não tem utilidade. Apenas está "aqui" em sua potencialidade. Para ser revelado, exige que participemos de um processo de possível revelação, estando disponíveis a ser moldados e transmutados, por sua vez, pelo próprio processo.

Por esse motivo, definitivamente, ajuda ter um mapa do terreno em que entraremos quando começarmos a meditar, embora mantendo em mente o lembrete importante e profundamente incisivo – que, de novo, alguns podem achar clichê – de que o mapa não é o território. O território das paisagens internas e externas de nossa experiência como seres humanos e de nossa mente parece infinito. Sem um mapa para nos orientar na prática de meditação, podemos muito bem andar em círculos por dias ou décadas sem nunca experimentarmos momentos de clareza, paz ou liberdade de nossas próprias ideias, opiniões e desejos opressivos. Sem um mapa para nos orientar, podemos ficar presos com facilidade ao que só foi dito, talvez idealizando a promessa de um resultado especial, e presos também em ilusões e autoenganos sobre "chegar a algum lugar", atingindo clareza, paz ou liberdade, no aparente paradoxo de isso soar como se houvesse de fato algum lugar especial a chegar ou um estado especial a atingir. Na verdade, há e não há. É por isso que precisamos ter um mapa e seguir as instruções daqueles que vieram antes, ao mesmo tempo que, ou especialmente porque, como veremos depois com mais detalhes, algumas dessas instruções meditativas declaram que não há mapa, não há direção, não há visão, não há transformação, não há conquista e não há nada a atingir. Além disso, por mais estranho que possa soar, nossa motivação para praticar também precisa entrar na equação a fim de não nos desviarmos numa atitude agressiva, aquisitiva, esforçada, capaz de involuntariamente causar danos a nós ou a outros pelo caminho.

Confuso? Sem problemas. Basta dizer que você provavelmente achará útil conhecer algo da estrada em que está caminhando e de suas excentricidades, como reportado por aqueles que a percorreram no passado e a mapearam com a resolução que conseguiram em encontros breves com o infinito. Do mesmo jeito, é uma boa ideia saber como outros fizeram para escalar o Everest ou qualquer outra montanha, em vez de só subir confiando na sorte e em suas boas intenções e julgamentos do momento. Ajuda – não, é essencial – estar equipado, com a roupa certa, não só com equipamento, mas também com informação e conhecimento vindos da experiência dos outros – e com mapas. No mais, no grau em que ela seja transferível – não é, mas, ao menos, é possível intuí-la –, é essencial estar equipado com sua sabedoria inata, mas também informada. Fora isso, é fácil demais se iludir e morrer na montanha. É difícil o bastante ficar vivo mesmo com todos os andaimes para sustentá-lo, e é importante não deixar que eles e todos os detalhes de chegar lá e sobreviver à jornada o impeçam de absorver toda a incrível beleza e presença da montanha, bem como a sua própria enquanto está lá.

Nem mesmo se perder é necessariamente um problema. Aliás, pode ser uma parte importante da jornada e pode acontecer mesmo quando temos em mãos o melhor dos mapas. Perder-se e ficar confuso, até cometer erros, fazem parte do aprendizado. É assim que nos apropriamos do território e passamos a conhecê-lo intimamente, em primeira mão.[13]

*

A prática de meditação invariavelmente exige algum tipo de andaime, em especial no início (na verdade, sempre, em algum grau, mas depois pode parecer tão natural que já não se necessitam mais "força de vontade", "tentativa" e "lembrete"), na forma de instruções de meditação e uma variedade de métodos e técnicas. Esses andaimes incluem o contexto mais amplo no qual se inicia essa aventura de uma vida toda tão estranha como a de aprimorar sua própria capacidade de habitar a quietude, olhar profundamente a natureza de sua mente e perceber, neste momento e em todos os que se apresentam, a dimensão libertadora da consciência.

Assim como são necessários andaimes para construir um prédio, assim como foram necessários andaimes para Miche-

---

[13] Para saber mais sobre isso, no contexto de *mindfulness* e MBSR, ver Kabat--Zinn, J. "Some Reflections on the Origins of MBSR, Skillful Means, and the Trouble with Maps". In: Williams, J. M. G. e Kabat-Zinn, J. (eds.) *Mindfulness: Diverse Perspectives on Its Meaning, Origins, and Applications*. Londres: Routledge, 2013. pp. 281-306.

langelo e seus aprendizes pintarem os afrescos no teto da Capela Sistina, também precisamos de certo modelo para nos levar à essência desse trabalho interno, bem na fronteira desse inspirar e expirar, desse corpo, desse momento.

Quando o prédio está construído ou o teto está completo, porém, os andaimes não são mais necessários e são desmontados, pois nunca foram parte da essência da empreitada, somente um meio necessário e útil para que ela fosse levada a cabo. Assim é com a meditação: os andaimes de instruções e modelos são desmontados, na verdade, desmontam-se, e a essência permanece apenas impalpável e indizível. Afinal, a essência é o próprio despertar, para além e abaixo, "antes" de o pensamento surgir.

O que torna isso interessante é que o andaime meditativo é necessário a cada momento e, na mesma medida, precisa ser desmontado a cada momento, não mais tarde, ao fim de um grande trabalho como a Capela Sistina, mas instante a instante. Isso se alcança sabendo que ele é só um andaime, não importa quão necessário e importante, e não se apegando a ele, ao deixar que seja erigido e desmontado, momento a momento. Com a Capela Sistina, pode ser preciso manter o andaime armazenado ou trazê-lo de volta para retoques, restauração, reparação ou consertos durante os anos. No caso da meditação, porém, a obra-prima sempre está em progresso e, ao mesmo tempo, está completa a cada momento, como a própria vida.

Em outras palavras, a instrução adequada permite que a meditação funcione como o ponto de partida, desde o início, para o que os tibetanos chamam de *não meditação*. Ela pode ser até um recurso misteriosamente opaco no começo, mera sugestão a ter em mente para mais tarde, pois *o próprio pensamento de que se está meditando é um andaime*. Esse andaime ajuda a apontar e sustentar sua prática, mas é importante ver além dele para de fato praticar. As duas coisas operam simultaneamente, momento a momento, enquanto você se senta, enquanto descansa em consciência, enquanto pratica de qualquer forma, para além dos confins da mente conceitual e suas eternas proliferações e histórias; até, ou poderíamos dizer, em especial, suas histórias sobre meditação.

Este livro, e todos os outros sobre meditação, todos os ensinamentos, as linhagens e as tradições de meditação, não importa quão veneráveis, todos os CDs, os downloads, os *apps*, os *podcasts* e outros dispositivos para praticar também são, basicamente, andaimes – ou, para mudar de imagem, um apontar para a lua, nos lembrando não apenas para onde olhar, mas que há algo a contemplar, a ver. Podemos nos fixar no andaime ou no apontar ou podemos mudar o foco para apreender diretamente o que se está apontando. A escolha sempre é nossa.

É extremamente importante sabermos e nos lembrarmos disso desde o início de nosso encontro com a meditação, para não nos perdermos nem nos vermos apegados ao meramente conceitual, a um ideal, a um professor, a um ensinamento, a um método ou a uma instrução em particular, não importa quanto essas coisas pareçam sedutoras ou gratificantes. O risco da inconsciência nesse domínio é construirmos uma história convincente sobre meditação e quanto ela nos é importante, e cairmos nessa narrativa, em vez de percebermos a essência e quem e o que somos de verdade no único momento que temos para percebê-lo, que nunca é outro momento.

Ética e carma

É claro, até o andaime precisa de uma fundação sobre a qual se sustentar. Não é muito sábio erguê-lo sobre areias movediças nem sobre poeira ou argila que possa facilmente virar lama.

A fundação da prática do *mindfulness*, de toda a exploração e a investigação meditativa, está na ética, na moralidade e, acima de tudo, na motivação de não fazer mal. Por quê? Porque não é possível esperar conhecer a quietude e a tranquilidade em sua mente e seu corpo – para não falar de perceber a realidade das coisas sob as aparências superficiais usando sua própria mente como instrumento para esse conhecimento – nem incorporar e agir com essas características no mundo, se suas ações estiverem continuamente nublando, agitando e desestabilizando o próprio instrumento através do qual você está olhando, ou seja, sua mente.

Todos sabemos que, quando transgredimos de alguma forma, quando somos desonestos, mentimos, roubamos, matamos, causamos mal aos outros, inclusive por meio do assédio sexual, quando falamos mal de alguém, quando estimulamos, entorpecemos ou poluímos nossa mente abusando de substâncias como álcool e drogas devido à nossa própria infelicidade e vontade de aliviar a dor, as consequências invariavelmente são destrutivas, provocando um mal incontável aos outros e a nós, quer saibamos ou não, quer sejamos capazes de nos importar ou não. Entre as consequências de tais ações, está a certeza de que elas nublam a mente e a enchem de energias que evitam a calma, a estabilidade e a clareza, e também a percepção viva e subconsciente que pode acompanhar tal clareza. Elas afetam o corpo, tendendo a mantê-lo cronicamente contraído, tenso, agressivo, defensivo, cheio dos efeitos de raiva, medo, agitação e confusão e, por fim, isolamento; além disso, muito provavelmente, cheio de luto e remorso.

Por esse motivo, é importante avaliarmos como de fato conduzimos nossa vida, o que estamos fazendo, qual é nosso comportamento real, e estarmos conscientes dos efeitos cascata de nossos pensamentos, palavras e atos, no mundo e em nosso coração. Se continuamente criarmos agitação em nossa vida, é essa agitação e esse prejuízo que encontraremos em nossa prática de meditação, porque é isso o que alimentamos em nós. Se esperamos um grau de paz em nossa mente e nosso coração, é lógico que nos beneficiaremos ao parar de alimentar tendências e comportamentos nocivos. Dessa forma, simplesmente formando a intenção de reconhecer e nos afastar de tais impulsos, começamos a sair dos estados mentais e das ações não saudáveis, o que os budistas chamam de forma peculiar, mas precisa, de "insalubres" e destrutivos para estados mentais e corporais mais saudáveis, salubres e menos nublados.

Generosidade, confiabilidade, gentileza, empatia, compaixão, gratidão, alegria pela sorte dos outros, inclusão, aceitação e equanimidade são características de mente e coração que ampliam as possibilidades de bem-estar e clareza, sem falar dos efeitos benéficos que têm no mundo. Elas são a fundação de uma vida ética e moral.

Ganância, tentar tomar para si o que não é livremente dado em todo e qualquer nível, não ser confiável e ser desonesto, antiético e imoral, cruel e cheio de hostilidade, levado e arrastado pelo egoísmo à custa dos outros, pela raiva e pelo ódio e perdido em confusão, agitação, arrogância e vício – todas essas são características mentais que tornam difícil levar uma vida de satisfação interior, equanimidade e paz, para não falar das repercussões negativas que têm no mundo. O *mindfulness*, porém, nos permite trabalhar com esses estados mentais, em vez de simplesmente os negar, os suprimir ou continuar a dar vazão a eles. Quando somos visitados por essas energias, podemos de fato levar consciência a elas e, em vez de ser totalmente consumidos, examiná-las e aprender com elas sobre as fontes de nosso sofrimento, sentir e ver em primeira mão os verdadeiros efeitos de nossas atitudes e ações em nós e nos outros e experimentar com a possibilidade de deixar esses próprios estados mentais se tornarem nossos professores de meditação e nos mostrarem como viver e como não viver, onde está a felicidade e onde ela não está nem perto.

O que se conhece no Oriente como "carma" é basicamente o mistério de como nossas ações no presente acabam influenciando o que acontece depois no fluxo do tempo e do espaço, conosco e com os outros. Não importa o que fizemos no passado, a lei de carma, da causa e efeito, diz que inevitavelmente isso terá consequências no aqui e agora, algumas sutis, algumas horrendas, algumas compreensíveis, algumas, não, algumas até imperceptíveis, todas moduladas por nossa motivação e nossa intenção original, a qualidade mental que deu à luz a ação em si. Isso pode incluir, claro, e frequentemente inclui, não ter ideia de qual era a motivação por trás de algo em particular que fizemos ou dissemos, porque estávamos tão presos num estado mental agitado que não sabíamos o que estávamos fazendo.

O passado pode ter ficado para trás, mas carregamos conosco as consequências acumuladas do que já ocorreu, independentemente do que seja, incluindo, talvez, remorso por decisões e ações passadas ou ressentimento pelo que aconteceu conosco e não conseguimos evitar ou controlar. No entanto, com esforço, apoio e andaimes adequados, também podemos mudar nosso carma entrando no presente momento da forma mais aberta e atenta que conseguirmos e formando a intenção de ir de estados mentais e corporais mais aflitivos, talvez destrutivos, para outros mais saudáveis. Mudamos nosso carma de maneira positiva só de levar consciência às motivações subjacentes às nossas ações exteriores, mas também às ações interiores expressas na mente e no corpo por meio dos pensamentos e das palavras. Sustentando essa consciência de motivação ao longo do tempo, alimentando motivações benevolentes e ativamente evitando reagir por reflexo seguindo motivos insalubres de total inconsciência – resumindo, nos comprometendo e realmente vivendo uma vida ética e moral por dentro e por fora, momento a momento, e não só em princípio –, preparamos o terreno para transformação e cura profundas e contínuas. Sem a fundação ética, nem a transformação nem a cura têm chance de vingar. A mente estará simplesmente agitada demais, presa demais em seu condicionamento não examinado e em emoções ilusórias e destrutivas para fornecer o solo apropriado ao cultivo do mais profundo, melhor e mais saudável em nós.

No fim das contas, cada um de nós é moralmente, além de legalmente, responsável pelas próprias ações e suas consequências. Lembre-se de que, adjudicando crimes contra a humanidade, como os perpetrados pelos nazistas na Segunda Guerra Mundial, o massacre de My Lai no Vietnã ou o de Srebrenica, tribunais de crime de guerra internacionais sempre concluíram que, ao fim de tudo, a responsabilidade de preservar nossa humanidade é firmemente de cada um de nós, não importa nossa hierarquia nem nosso *status* na sociedade. Algumas vezes, mesmo no exército, desobedecer a ordens é mais importante que obedecer. Um piloto de helicóptero de reconhecimento, Hugh Thompson Jr., que voava sobre My Lai na época do massacre, viu o que estava acontecendo, pousou seu helicóptero no meio da vila e ordenou que seus atiradores disparassem em qualquer dos soldados norte-americanos, no solo, que continuassem a matar mulheres, crianças e velhos no processo do massacre. Por fim, somente indivíduos, ou seja cada um de nós, podem tomar uma posição a favor da bondade e da gentileza humana diante do imoral, do amoral e do antiético. Às vezes, isso exige uma ação dramática como a desse oficial do Exército de 25 anos e sua equipe[14]. Às vezes, é inteiramente invisível, simplesmente uma escolha de agir de forma ética, mesmo se você for a única pessoa a saber. Ou pode tomar a forma de atos de desobediência civil por motivos de consciência, como quando se escolhe quebrar uma lei menor (e se está disposto a sofrer as consequências legais de suas ações) para chamar atenção e protestar contra ações, políticas ou leis dentro do corpo político que se considerem imorais e prejudiciais.

Tanto Gandhi quando Martin Luther King Jr. usaram a desobediência civil não violenta para promover a causa dos direitos humanos diante da crueldade e da injustiça endêmicas e institucionalizadas. Esses protestantes morais costumam ser vistos, na hora, pelo governo no poder e muitas vezes por vários observadores externos, como baderneiros que desrespeitam a lei e a ordem, talvez até como desleais, não patriotas ou até inimigos do estado. No entanto, seria possível dizer mais precisamente que são patriotas, não inimigos. São inimigos só da injustiça, marchando num ritmo diferente, ouvindo e confiando na inteligência de sua consciência, votando com os pés e o corpo, sua presença moral como testemunho de

---

14 Para mais detalhes sobre esse incidente memorável, ver Sapolsky, Robert M. Behave: *The Biology of Humans at Our Best and Worst*. Nova York: Penguin, 2017, pp. 656-8.

uma verdade mais ampla. Note que, depois de uma geração, eles costumam ser reverenciados, até santificados. Mas sempre é mais difícil incorporar ética e moralidade no presente, não importa de quem se trate, que celebrá-las nos outros — o que em geral só acontece quando eles já estão mortos há muito tempo, frequentemente assassinados.

No fim, ética e moralidade não têm a ver com heróis, líderes e exemplos brilhantes, mas com as formas, dia a dia e momento a momento, como conduzimos nossa própria vida e com qual é nossa posição básica em relação às tendências de nossa mente que nos levam a ganância, ódio e ilusão, quando o que mais precisamos é ir ao encontro dos recursos mais profundos de nosso coração para gentileza, generosidade, compaixão e caridade. Não são apenas votos sentimentais que se podem fazer na noite de Natal, mas em verdade uma forma de viver, uma prática em si, e a fundação da cura, da transformação e das possibilidades disponíveis a nós por meio da meditação e do *mindfulness*.

Vale a pena destacar que, embora seja uma boa ideia abordar essas questões de alguma forma desde o início da prática de meditação, também é fácil demais cair numa espécie de retórica moralista que pode soar como sermão, e *isso* invariavelmente levanta questões legítimas na mente das pessoas, sobre se quem está divulgando tais valores de fato os cumpre. Isso acontece, em especial, porque há muitos exemplos, incluindo alguns em centros de meditação, em que os que estão em posição de autoridade ou poder — sejam figuras religiosas, políticos, terapeutas, médicos ou advogados — quebram seus próprios preceitos e códigos de ética profissionais. Esses códigos podem ser, com frequência, desrespeitados no local de trabalho, onde o abuso de poder desenfreado, por vezes, é a norma — pensemos na escalada de casos de assédio sexual que está vindo à tona e finalmente sendo nomeada por mulheres que denunciam magnatas de Hollywood, astros do cinema e executivos e apresentadores de televisão.

Ensinando MBSR na Clínica de Redução do Estresse, achamos mais eficaz e autêntico incorporar, ao máximo possível, uma presença franca e não prejudicial, confiabilidade, generosidade e gentileza como parte essencial de nossa própria prática e na forma como vivemos, ensinamos e nos portamos. Deixamos as conversas mais explícitas sobre moralidade e ética surgirem, de maneira natural, de diálogos em que as pessoas compartilham suas experiências com a prática de meditação em si, o que quer dizer a vida em si. A atitude de não causar danos e a visão clara de estados mentais e hábitos reativos e destrutivos são uma parte íntima das próprias instruções de meditação, e prestar bastante atenção nelas, conforme praticamos juntos, tende a carregar todos nós a uma maior consciência dos benefícios de certos fluxos de pensamento e ações e dos perigos de outros, incluindo não estar consciente sobre as diferenças de poder, suposições tácitas e não explícitas sobre os outros, e privilégio não reconhecido.

A ética e a moralidade são vistas, conhecidas e reconhecidas por meio da vivência, muito mais que por meio de palavras, não importa quão eloquentes. E, de certa forma, como você sem dúvida verá, sentirá e experimentará, são inerentes ao cultivo do *mindfulness*, quando se veem e se sentem em primeira mão (em outras palavras, reconhecendo por nós mesmos) os efeitos interiores e exteriores de nossas ações, nossas palavras e até de nossos pensamentos, nossas emoções e nossas expressões faciais, sejam quais forem, literalmente momento a momento, respiração a respiração e dia a dia.

Mindfulness

Então, após toda essa conversa de *mindfulness*, o que é essa prática, afinal?

Segundo o pesquisador e monge budista Nyanaponika Thera, *mindfulness* é

> a chave-mestra infalível para *conhecer* a mente e, portanto, o ponto inicial; a ferramenta perfeita para *moldar* a mente e, portanto, o ponto focal; e a manifestação sublime da *liberdade* da mente conquistada e, portanto, o ponto-final.

Nada mal para algo que basicamente se resume a prestar atenção e estar acordado.

Pode-se pensar em *mindfulness* como consciência sem julgamento momento a momento, cultivada ao se prestar atenção de forma específica, ou seja, no momento presente e de maneira não reativa, o mais sem julgamento e francamente possível. A parte do não julgamento não significa que você não vai julgar nunca! Pelo contrário, significa que você descobrirá que tem milhares de julgamentos, mas estará mais inclinado a reconhecê-los pelo que são, ou seja, preferências de todos os tipos, julgamentos, gostos, desgostos, desejos, aversões. Não fazer julgamentos é, portanto, um convite para intencionalmente suspender o julgamento o máximo possível, ao mesmo tempo notando o tanto que ele acontece.

Quando cultivado com intenção, o *mindfulness*, por vezes, é chamado de *mindfulness deliberado*. Quando surge espontaneamente, como tende a acontecer mais e mais quanto mais ele é cultivado com intenção, por vezes, é chamado de *mindfulness espontâneo*. No fim das contas, independentemente de como se chega a ele, *mindfulness* é *mindfulness*. É estar desperto, pura e simplesmente. Ele é consciência e presença franca.

De todas as práticas de sabedorias meditativas que foram desenvolvidas em culturas tradicionais pelo mundo e pela história, o *mindfulness*, talvez seja a mais básica, a mais poderosa, a mais universal, entre as mais fáceis de compreender e adotar, e é possível que seja a mais desesperadamente necessária hoje. Pois *mindfulness* é nada mais que a capacidade que todos já temos de saber o que de fato está acontecendo enquanto está acontecendo. O professor de vipassana Joseph Goldstein descreve-o como "característica mental que nota o que está presente sem julgamento, sem interferência. É como um espelho que reflete claramente o que está diante dele". Larry Rosenberg, outro professor de vipassana, o chama de "poder observador da mente, um poder que varia com a maturidade do praticante". No entanto, podemos adicionar: se o *mindfulness* é um espelho, é um espelho que sabe *não conceitualmente* o que está dentro de seu escopo. E, não sendo bidimensional, podemos dizer que ele é mais como um campo eletromagnético ou gravitacional que um espelho, um campo do conhecimento, um campo da consciência, um campo do vazio, da mesma forma que um espelho é intrinsicamente vazio e, portanto, pode "conter" qualquer coisa que apareça diante dele. A consciência é infinita ou, pelo menos, parece assim por dentro, infinita como o próprio espaço, sem centro nem periferia. Embora seja uma característica inata da mente, o *mindfulness* também pode ser refinado por meio da prática sistemática. E, para a maioria de nós, ele *tem* de ser refinado pela prática. Já notamos como tendemos a estar fora de forma para exercitar nossa capacidade inata de prestar atenção. E isto é a meditação: o cultivo sistemático e intencional da presença atenta e, por meio dela, do discernimento, da sabedoria, da compaixão e de outras características da mente e do coração que favoreçam a libertação dos grilhões de nossa cegueira, nosso egocentrismo e nossas ilusões persistentes.

A posição de atenção que estamos chamando de *mindfulness* foi descrita por Nyanaponika Thera como "o coração da meditação budista". Ela é central para todos os ensinamentos de Buda e todas as tradições budistas, das muitas correntes e dos diversos fluxos do zen na China, na Coreia, no Japão e no Vietnã às várias escolas de vipassana, ou "meditação do *insight*" na tradição theravada nativa de Burma, Cambodja, Tailândia e Sri Lanka, àquelas do budismo tibetano (vajrayana) na Índia, no Tibete, no Nepal, no Ladaque, no Butão, na Mongólia e na Rússia. E, agora, praticamente todas essas escolas e suas tradições acompanhantes estabeleceram raízes firmes nas culturas ocidentais, nas quais presentemente estão florescendo.

Sua chegada recente ao Ocidente nas duas últimas gerações, mais ou menos, é uma extensão histórica impressionante de um desenvolvimento que emergiu da Índia nos séculos seguintes à morte do Buda e, por fim, se espalhou pela Ásia dessas várias formas. Também voltou recentemente à Índia, onde tinha caído em declínio por centenas de anos.

Estritamente, de uma perspectiva instrumental, o cultivo do *mindfulness* oferece acesso confiável à nossa consciência inata. O que estamos refinando é o acesso à consciência, não a consciência em si. Quanto mais prestamos atenção momento a momento e sem julgamento, mais conseguimos habitar a consciência, ser o despertar da consciência. De maneira simultânea, de uma perspectiva não instrumental, *mindfulness* e consciência já são idênticos. Não é preciso desenvolvimento algum. Paradoxalmente, temos o que estamos buscando ou esperando cultivar, só é necessário não ser um obstáculo a si mesmo, o que, por ironia, exige algum trabalho. A partir daqui, usaremos as palavras *mindfulness* e "consciência" como sinônimos, reconhecendo que o instrumental e o não instrumental não são aspectos separados, mas complementares e intercambiáveis de um todo maior. Além do mais, como não há nada particularmente budista em prestar atenção ou ter consciência, a essência do *mindfulness* tanto como prática quanto como sinônimo da consciência em si é verdadeiramente universal. Ela tem mais a ver com a natureza da mente humana do que com qualquer ideologia, crença ou cultura. Está mais relacionada com nossa capacidade de conhecer, com a *senciência*, que com uma religião, uma filosofia ou uma visão em particular.

Voltando à imagem do espelho, é virtude cardeal de qualquer espelho, pequeno ou grande, poder conter qualquer paisagem, dependendo de como ele é posicionado e se está limpo ou coberto de poeira ou nublado pela idade. Não há necessidade de ancorar o espelho do *mindfulness* e restringi-lo a uma visão em particular, excluindo outras paisagens interiores e exteriores igualmente válidas, pois há diversas formas de conhecer. O *mindfulness* resume e inclui todas elas, assim como poderíamos dizer que há uma verdade, não muitas, mas há muitas formas de entendê-la e expressá-la na vastidão de tempo e espaço e na plenitude de condições e locais culturais.

O espelho, porém, é uma imagem ou uma metáfora limitada para o *mindfulness* em outros sentidos, embora seja incrivelmente útil às vezes. Pois ele não só é bidimensional, como é uma imagem refletida e, portanto, sempre reversa. Quando você olha seu rosto no espelho, não é seu rosto como visto pelo mundo, mas a imagem espelhada dele, onde esquerda é direita e direita é esquerda. Sendo uma superfície, ele não reflete as coisas exatamente como são, mas entrega apenas uma ilusão delas.

O *mindfulness* é valorizado, talvez não com esse nome, em quase todas as culturas contemporâneas – e também foi nas antigas. De fato, seria possível dizer que nossa vida e nossa própria presença aqui dependeram da clareza da mente como espelho e de sua capacidade de refletir, conter, encontrar e conhecer com grande fidelidade as coisas como elas realmente são. Por exemplo, nossos ancestrais precisavam avaliar as situações instantânea e corretamente quase momento a momento. A cada instante, sua capacidade de fazê-lo bem podia significar a diferença entre a sobrevivência de um indivíduo, ou toda uma comunidade, e sua extinção. Portanto, cada um hoje na Terra é a progênie exclusiva de gerações de sobreviventes. Havia claramente uma vantagem evolutiva numa mente que conseguia cuidar do que estava acontecendo em tempo real e saber de imediato que podia confiar no que sabia para agir. Aqueles cujos espelhos, talvez, tivessem algumas falhas podem não ter tomado decisões que efetivamente garantissem sua sobrevivência o suficiente para transmitir seus genes. Dessa forma, houve definitiva vantagem seletiva em espelhos claros que conseguiam instantaneamente reconhecer e refletir com precisão, em caso de qualquer ameaça à sua sobrevivência, todas as mensagens que entravam pelas portas dos sentidos.

Somos herdeiros desse processo de seleção que perpetuamente se refina. Nesse sentido, somos todos acima da média. Muito acima da média. Seres milagrosos, na verdade, quando paramos para pensar.

Ao longo dos séculos, a capacidade inata universal que todos temos de consciência e *insights* afinados de maneira brilhante foi explorada, mapeada, preservada, desenvolvida e refinada – já nem tanto pelas sociedades pré-históricas de caça e coleta, que, infelizmente, com tudo o que sabem do mundo, estão à beira da extinção, causada pelos "sucessos" do fluxo da história humana, como agricultura e a divisão e especialização do trabalho e a ascensão das cidades e de tecnologias em constante avanço, mas em monastérios. Esses ambientes intencionalmente isolados surgiram no início da Antiguidade e aguentaram milênios de vicissitudes, ao mesmo tempo que renunciaram a preocupações mundanas para dedicar sua energia apenas a cultivar, refinar e aprofundar o *mindfulness* e utilizá-lo para investigar a natureza da mente com a intenção de chegar a uma percepção total e incorporada do que significa ser, por completo, humano e livre da prisão das aflições e dos sofrimentos mentais habituais. Em seu melhor, esses monastérios eram verdadeiros laboratórios de investigação da mente, e os monásticos que os habitavam e ainda os habitam eram tanto cientistas quanto objetos de estudo dessas investigações contínuas – e ainda hoje o são.

Os monges, as freiras e os ocasionais habitantes usavam como estrela-guia Buda e seus ensinamentos. Buda, como vimos, era uma pessoa que, por várias razões cármicas, tomou para si a missão de sentar-se e dirigir sua atenção à questão central do sofrimento, à investigação da natureza da mente em si e ao potencial de libertação da doença, da velhice e da morte e do que poderia ser chamado de "des-compasso" fundamental da humanidade. Ele fez isso sem negar qualquer desses domínios nem tentar contorná-los. Em vez disso, olhou diretamente para a natureza da própria experiência humana, usando como instrumento a capacidade que todos temos, mas raramente refinamos tanto, de olhar para qualquer coisa para começo de conversa, ou seja, a atenção inabalável, a consciência e o potencial para *insights* esclarecedores e profundos que vêm disso. Ele se descrevia, quando perguntavam, não como um deus, como queriam alguns, chocados com sua sabedoria, aparente luminosidade e mera presença, mas como "desperto". Esse estar desperto vinha de sua experiência de ver profundamente a condição e o sofrimento humanos, bem como da descoberta de que era possível quebrar ciclos aparentemente infinitos de autoilusão, equívocos e aflições mentais e chegar a liberdade, equanimidade e sabedoria inatas.

Durante nosso trabalho juntos neste volume e nos seguintes, vamos voltar ao *mindfulness* várias vezes, ao que ele é e às diversas maneiras, formais e informais, de cultivá-lo, sempre. Esperamos não nos prendermos às histórias sobre ele, ainda que, inevitavelmente, as criemos. Examinaremos o *mindfulness* de vários ângulos diferentes, tateando suas inúmeras energias e propriedades e como elas podem ser relevantes às especificidades de nosso dia a dia em todos os níveis e ao nosso bem-estar e à nossa felicidade de curto e longo prazos.

Iniciaremos olhando mais de perto por que prestar atenção é tão fundamental para nosso bem-estar e como isso se encaixa no grande esquema de curar e transformar nossa vida e o mundo.

Parte 2

O poder da atenção e o "des-compasso" do mundo

A capacidade de voluntariamente trazer de volta uma atenção que vagueia, vez após vez, é a própria raiz do bom senso, do caráter e da vontade.
Ninguém é **compos sui** *se não a tiver.*
Uma educação que melhorasse essa capacidade seria a educação por excelência.
Mas é mais fácil definir esse ideal do que dar instruções práticas para fazê-lo acontecer.
WILLIAM JAMES, *PRINCÍPIOS DE PSICOLOGIA* (1890)

Por que prestar atenção é tão incrivelmente importante

William James obviamente não conhecia a prática de mindfulness quando escreveu a passagem citada na página anterior, mas tenho certeza de que teria adorado descobrir que havia, sim, uma educação para melhorar a capacidade de voluntariamente trazer de volta uma atenção que vagueia vez após vez. Pois isso é exatamente o que os praticantes do budismo transformaram numa arte refinada ao longo de milênios, com base nos ensinamentos originais de Buda, e essa arte é repleta de instruções práticas para instigar esse tipo de autoeducação. Embora estivesse lamentando a ausência de algo que já existia na época, num universo indisponível a ele, James, fundador da psicologia americana moderna, claramente apontou para a magnitude do problema. Ele compreendia como a mente vagueia de forma endêmica e como é criticamente importante cuidar da manada de nossa atenção se esperamos levar uma vida por inteiro, como diz ele, de "bom senso, caráter e vontade".

Afinal, prestar atenção é algo que fazemos de forma tão seletiva e aleatória que frequentemente não vemos o que está bem em frente nem ouvimos sons que são trazidos a nós pelo ar e, é claro, entram em nossos ouvidos. O mesmo se pode dizer também sobre os outros sentidos. Talvez você tenha notado isso em si.

É fácil comer sem sentir gosto, perder a fragrância da terra molhada após a chuva e até tocar nos outros sem conhecer os sentimentos que estamos transmitindo. De fato, nos referimos a esses exemplos tão comuns, que consistem em perder o que existe para sentir, seja com os olhos, os ouvidos, seja com outros sentidos, como momentos em que *perdemos o contato*.

Usamos o contato como uma metáfora para nos relacionar por meio de todos os sentidos, porque, de fato, o mundo literalmente entra em contato conosco por todos os nossos sentidos, pelos olhos, orelhas, nariz, língua, corpo, e também por nossa mente.

Por tudo isso, tendemos a ser especialistas em perder o contato boa parte do tempo e perdemos o contato exatamente o quanto podemos perder.

Se examinarmos esse fenômeno apenas observando nossa vida interior e exterior de tempos em tempos, logo fica bem aparente quanto tempo passamos fora de contato. Perdemos contato com nossos sentimentos e nossas percepções, com nossos impulsos e nossas emoções, com nossos pensamentos, com o que estamos dizendo e até com nosso corpo. Isso se deve principalmente ao fato de estarmos sempre preocupados, perdidos em nossa mente, absortos em nossos pensamentos, obcecados com o passado ou o futuro, consumidos por nossos planos e desejos, distraídos por nossa necessidade de entretenimento, impulsionados por nossas expectativas, nossos medos ou nossos desejos de momento, independentemente de quão inconsciente e habitual seja tudo isso. Portanto, podemos perder e em geral perdemos por completo o contato de uma forma ou outra com o momento presente, o momento que está de fato se apresentando a nós agora.

E nossa perda de contato não se limita a deixarmos de ver coisas que estão bem à frente, de ouvir o que claramente está chegando aos nossos ouvidos ou de sentir o mundo das fragrâncias, do gosto, ou do toque, pois estamos preocupados e distraídos demais. Quantas vezes você involuntária e improvavelmente deu com a cara na porta que estava abrindo ou sem querer bateu a mão ou o cotovelo em algo ou derrubou algo que não sabia estar carregando porque, naquele instante, não estava de fato totalmente ali e, portanto, momentaneamente, perdeu o contato até com a orientação temporal e espacial do corpo, que cobrimos sem muita atenção específica?

E não é verdade que, por vezes, perdemos igual e grosseiramente o contato com o que chamamos de mundo "exterior", com nossos efeitos em outras pessoas, com o que elas se importam e pelo que podem estar passando e sentindo, mesmo quando está escrito em seu rosto ou aparente em sua linguagem corporal?

No entanto, a única forma de estar em contato com quaisquer dessas coisas é por meio de nossos sentidos. São as únicas maneiras que temos de conhecer o mundo interior de nosso próprio ser ou a paisagem externa que chamamos de "mundo".

Temos mais sentidos do que pensamos. A intuição é uma espécie de sentido. A propriocepção – o corpo saber como está posicionado no espaço – é um sentido. A interocepção – a *sensação* interior geral do corpo como um todo – é um sentido. A própria mente também pode ser entendida como um sentido e, de fato, como comentado, é caracterizada como sexto sentido nos ensinamentos budistas. Pois a maior parte do que sentimos e conhecemos das paisagens interior e exterior se completa ao se processar na mente. Sem a mente, mesmo perfeitamente intactos, os sentidos dos olhos, dos ouvidos, do nariz, da língua e da pele não nos dariam uma imagem muito útil do mundo que habitamos. Precisamos conhecer o que estamos vendo, ouvindo, experimentando, cheirando, tocando, e isso somente é possível pela interação entre o próprio sentido e o que chamamos de mente, aquela qualidade de conhecimento misteriosa da senciência ou consciência, que inclui o pensamento, mas não é limitada a ele. Desta maneira, com precisão, a própria consciência poderia ser chamada de sexto sentido, em vez da mente. De certa forma, consciência e essência da mente são duas formas de dizer a mesma coisa.

Muito do que de fato sabemos captamos de forma não conceitual. Pensamento e memória chegam um pouco depois, mas de maneira muito rápida, nos calcanhares de um momento inicial de contato puro do sentido. Pensamento e memória podem facilmente colorir nossa experiência original de formas que distorcem ou desviam da experiência nua. É por isso que pintores costumam preferir encontrar intuitivamente o caminho até uma pintura a deixá-la surgir meramente do conceitual. O conceitual tem seu lugar, mas, com frequência, segue e informa somente os sentimentos crus que movem o despertar de formas novas e surpreendentes. A percepção pura é crua, elementar, vital e, portanto, criativa, imaginativa, reveladora. Com nossos sentidos intactos e por meio da própria consciência, podemos prestar atenção nessas formas. Fazer isso é estar mais vivo.

> *Agora, como chamaremos essa nova forma de casa do olhar que se abriu em nossa cidade, onde as pessoas sentam-se em silêncio e despejam sua visão como luz, como resposta?*
> RUMI, "NÃO HÁ LUGAR PARA A FORMA"
> TRADUZIDO COM BASE NA VERSÃO EM INGLÊS DE COLEMAN BARKS COM JOHN MOYNE

*

Ao ensinar sobre a importância da atenção na saúde e no bem-estar, descobri ser útil e iluminador incluir um modelo articulado pela primeira vez pelo psicólogo Gary Schwartz, que enfatiza o papel central da atenção na saúde e na doença. Considere os efeitos de não prestar atenção no que nosso corpo e nossa mente nos dizem de forma contínua, por períodos longos; é claro, em especial se somos relativamente saudáveis, podemos nos safar sem prestar atenção a nada. Ou, pelo menos, é o que pode parecer na superfície. No entanto, se vários sinais e sintomas, mesmo que sutis, forem ignorados, descuidados por muito tempo, e se a condição em que você se encontra for pesada demais para o corpo ou a mente, essa *desatenção* pode levar à *desconexão* – o atrofiamento ou a interrupção de caminhos específicos cuja integridade afinada é necessária para manter os processos dinâmicos subjacentes à saúde. Essa *desconexão* pode, por sua vez, provocar a *desregulação*, em que as coisas realmente começam a dar errado, e se afastar grosseiramente do equilíbrio homeostático natural. A *desregulação*, por sua vez, pode causar *desordem* no nível celular, dos tecidos, órgãos ou sistemas, um colapso que provoca processos caóticos, *desregulados*. Essa *desordem*, então, causa ou se manifesta como um *descompasso*, ou seja, uma doença de verdade.

Podemos pegar praticamente qualquer condição como exemplo, porque a abordagem se aplica a toda e qualquer circunstância. No entanto, para manter as coisas simples, vamos citar não prestar atenção, digamos, a uma dor no pescoço que pode aparecer pela primeira vez como sensações de rigidez ou tensão no músculo. Esse seria o primeiro sinal ou indicador, em especial se persistir, de que é preciso prestar atenção em algo, ou ver um médico, ou começar um programa de fisioterapia ou ioga, ou as duas coisas. Se ignorado, poderia de forma gradual se tornar mais frequente e severo, se transformando em uma reclamação crônica, um sintoma, talvez, de algo mais sério. Nesse ponto, podemos ter de certa forma nos acostumado e, se a dor não for ruim demais e estivermos ocupados demais, basta descartar a dor como tensão ou estresse e continuar a ignorá-la. Ao longo de semanas, meses, até anos, se não prestarmos atenção, essa condição ou vai embora sozinha, ou tende a piorar, especialmente em resposta a estresse, e pode nos deixar mais suscetíveis a lesões, as quais podem ocorrer, por exemplo, quando virarmos a cabeça rápido demais ao dirigir ou até nos deitarmos de mau jeito. Nesse momento, pode ter se tornado uma espécie de síndrome, com a qual nos habituamos tanto que aprendemos a ignorá-la por completo ou tolerá-la, talvez negando a potencial importância de fazer algo em relação a isso. Essa desconexão de nossa parte pode levar à desregulação gradual dos músculos e dos nervos do pescoço na forma de tensão crônica e até compensações posturais que, por sua vez, chegam a afetar os ossos e o tecido conectivo ao longo do tempo, piorando a condição. As coisas podem se desregular a ponto de nosso pescoço já não funcionar normalmente, e a dor, o desconforto, as limitações físicas na amplitude de movimento e a postura pioram. Isso, por sua vez, pode nos predispor a inflamação, em resposta a uma irritação ou lesão, uma piora da desordem das coisas, seguida talvez por uma maior probabilidade de artrite, uma doença mais séria que traz com si muito des-compasso ou desconforto.

Seguindo a mesma lógica, podemos dizer que a *atenção* e, em especial, a atenção sábia, não a autopreocupação neurótica e a hipocondria, reestabelece e fortalece a *conexão*, ou conectividade. Conexão, por sua vez, leva a maior *regulação*, que causa um estado de *ordem* dinâmica – característica do *compasso*, do bem-estar, da saúde, ao contrário da doença. Então, para isso acontecer, é preciso manter e alimentar a atenção com *intenção*. As duas juntas, atenção e intenção, têm um papel íntimo de apoiar um ao outro, são o *yin* e o *yang* da saúde e da cura, bem como da clareza e da compaixão.

No exemplo anterior, prestar atenção pode envolver cuidar de nosso pescoço indo a uma aula de ioga, fazendo uma boa massagem de tempos em tempos ou nos treinando para notar o estresse e a tensão que podem se acumular no pescoço em tempos específicos e também perceber como nossa consciência pode influenciar nisso, além de, talvez, minimizar essas ocorrências. Literal e metaforicamente, entramos mais em contato com o pescoço, o que está acontecendo com ele e do que ele é capaz. Essa conectividade causa maior regulamentação, pois o pescoço reage a nossa atenção. Essa atenção contínua às mensagens do corpo pode melhorar ainda mais com um programa de MBSR para aprender a lidar com a tensão acumulada em nossa vida, para que ela não vá sempre parar no pescoço (literalmente, virando uma "dor de cabeça"). Por exemplo, aprendendo algo tão simples como levar mais *mindfulness* às sensações no pescoço, para que estejamos em contato com aqueles sinais de alerta e sintomas iniciais e possamos reconhecê-los, em vez de ignorá-los, e até aprender como deixar a respiração dissipar um pouco da tensão acumulada. Dessa forma, a concatenação de circunstâncias que nos predispõem a uma piora da doença pode ser cortada pela raiz. Assim, continuamos a experimentar cada vez mais "ordem", compasso e uma ausência de dor no pescoço, mesmo sob estresse.

Porém, sempre é possível, quando prestamos bastante atenção a algo, cairmos de vez em quando, sem querer, num erro de percepção. Isso ocorre quando, por qualquer motivo, não vemos claramente o que está acontecendo em um momento particular, no qual perdemos a conexão real e a cadeia que leva da atenção a uma maior conexão e, por fim, ao compasso, à saúde, à clareza, até a um grau de sabedoria (em relação ao pescoço) e a compaixão (sendo mais gentil consigo e com o corpo). Aquele momento de erro de percepção pode, se não for corrigido, causar uma falha de apreensão, de avaliação de uma situação ou uma circunstância e, dali, um possível erro de atribuição da causa específica.

Isso, por sua vez, pode provocar diretamente um *erro* literal, um equívoco entre o que pensamos ser a verdade e como as coisas realmente são. Depois, vem a ação naquela cadeia causal de *erro de percepção* a *erro de apreensão* a *erro de atribuição* a *erro*. Acontece em nosso dia a dia, nos momentos em que de fato cometemos erros, falhas, em geral, causadas por erros de percepção e de atribuição.

Se não examinarmos, isso pode ser uma rota paralela ao des-compasso psicológico, social e físico. Em nosso exemplo da dor no pescoço, um erro de percepção pode ter a forma de uma preocupação obsessiva com algumas sensações breves no pescoço, as quais podemos exagerar como sendo dor, o que pode nos levar à hipocondria e, talvez, ao uso de um colar cervical sem necessidade. Além disso, desconsidera-se a prática de exercícios para o pescoço, cujo objetivo é torná-lo mais forte e flexível. Podemos andar por aí nos identificando com aquilo que falamos para nós mesmos ser um problema crônico de pescoço e perdendo todos as oportunidades de investigá-lo mais a fundo. Chamaríamos isso de uma forma de *atenção insensata*, enraizada numa autopreocupação reativa que nos mantém presos a uma desconexão de ordem diversa.

Essa atenção insensata também impulsiona com muita frequência no nível do corpo político, quando as pessoas são manipuladas a formular novas políticas ou a tomar decisões com base em informações erradas, incompletas ou mal analisadas ou, ainda, induzidas por motivos subjacentes, muitas vezes não avaliados, que colocam o interesse pessoal acima da sabedoria de considerar o bem-estar do todo e o seu desenvolvimento. As consequências desses erros de percepção e desses equívocos podem não ser triviais, resultando em todo tipo de oportunidade perdida. Muitas vezes, esses equívocos podem levar a uma inflamação desnecessária de uma situação já incendiária que podia ter sido percebida com mais precisão se as lentes da percepção e seu estado de clareza ou falta de clareza fossem objetos de atenção desde o início. Por esses motivos, a percepção acurada e a apreensão correta são elementos-chave da habilidade de cair em si.

Quando, pela prática de *mindfulness*, aprendemos a ouvir o corpo por todas as suas portas do sentido, além de cuidar do fluxo de nossos pensamentos e sentimentos, começamos o processo de reestabelecer e fortalecer a conectividade em nossa própria paisagem interior. Essa atenção alimenta uma familiaridade e uma intimidade com a vida no nível do que chamamos corpo e do que denominamos mente, que aprofunda e fortalece o bem-estar e uma sensação de tranquilidade em nossa relação com o que está ocorrendo em nossa vida de momento a momento. Podemos, assim, ir do des-compasso, incluindo a própria doença, para o maior compasso, a harmonia e, como veremos, para mais saúde.

E isso é verdade, como examinaremos mais para a frente, tanto para nossas instituições e nosso corpo político quanto para o corpo e a mente individuais.

Des-compasso

> *Rompei meu coração, que a febre faz doente*
> *e, acorrentado a um mísero animal morrente,*
> *já não sabe o que é; [...]*
> W. B. YEATS, "VELEJANDO PARA BIZÂNCIO"

Em relação à doença e ao des-compasso, podemos dizer que o des-compasso fundamental nascido da desatenção e da desconexão, e do erro de percepção e de atribuição, é a angústia da própria condição humana, da catástrofe total não enfrentada e não examinada.

Como sugerido pela frase de abertura de nossa brochura de meditação para líderes empresariais, que fala sobre os desconhecidos anseios sussurrados do coração, quase todo mundo tem um grau ou outro de anseios sussurrados do fundo de sua psique, uma vida secreta, de fato, uma vida cheia de sonhos e possibilidades que em geral mantemos escondidos. O mais triste é que costumamos mantê-los escondidos até de nós mesmos e, assim, sofremos muito. O segredo é muitas vezes sustentado por toda a nossa vida, sem intuirmos que somos cúmplices de uma autoilusão que pode gravemente nos corroer e ser autodestrutiva.

O verdadeiro segredo? Não saber realmente quem ou o que somos, por causa de todas as preocupações superficiais, pretensões e posturas internas e externas que construímos e atrás das quais nos escondemos para manter a nós e a todos no escuro.

No entanto, independentemente da época, não é nosso coração que está impregnado, motivado e até atormentado por desejos não satisfeitos e aparentemente infinitos, grandes e pequenos, não importa quanto pareçamos bem-sucedidos e confortáveis por fora? E não somos vagamente cientes, em algum nível subterrâneo da psique, de que estamos de fato "acorrentados" a um animal morrente? E de que não sabemos quem somos e o que somos na realidade? Em três linhas, Yeats captura três aspectos fundamentais da condição humana: um, que somos incompletos e sofremos por isso; dois, que estamos sujeitos à doença, à velhice e à morte, à lei inexorável da impermanência e da mudança constante; e três, que ignoramos a verdadeira natureza de nosso próprio ser.

Não é hora de descobrirmos que já somos maiores do que nos permitimos saber? Não é hora de descobrirmos que é possível habitar esse conhecimento mais amplo e, talvez, nos libertarmos da profunda angústia e do hábito persistente de ignorar o que é mais importante? Eu diria que já passou do tempo e que agora também é o momento perfeito.

É verdade que podemos, às vezes, sentir intimações de nosso desconforto em vagas comoções da psique. Muito de vez em quando, podemos até vê-lo de relance, num momento, quando acordamos desorientados e assustados no meio da noite, ou quando alguém próximo a nós sofre profundamente ou morre, ou, ainda, quando o modelo de nossa própria vida de repente sai do eixo como se sempre tivesse sido primariamente, de alguma forma estranha, apenas imaginado. Aí, não é verdade que, assim que possível, voltamos a dormir literal e metaforicamente e nos anestesiamos com uma distração ou outra?

Esse des-compasso humano primordial de que fala Yeats, de não conhecermos quem somos, parece grande demais para ser suportado; por isso, o enterramos fundo na psique, guardado, bem isolado da consciência da luz do dia. Frequentemente, como vimos, é necessária uma crise aguda para nos despertar a ele e às possibilidades da cura verdadeira e de nos libertar da escuridão do medo e da ignorância.

Sofremos muito em corpo e mente com esse afastamento dessas intimações mais profundas de nossa humanidade. Podemos nos sentir rompidos (ou consumidos), nas palavras de Yeats, "engolidos", e também diminuídos de inúmeras formas, pois negligenciamos a total realidade de quem somos. No entanto, podemos não saber disso com qualquer clareza ou convicção.

Esse des-compasso da consciência, de ignorar o que é mais fundamental em nossa natureza como seres, afeta nossa vida como indivíduos a todo momento e ao longo de décadas. Além de poder produzir efeitos de curto e longo prazo em nossa saúde do corpo e da mente. É inevitável a influência na vida familiar e profissional de formas que podem, muitas vezes, não ser vistas ou que só são descobertas anos depois que algum tipo de dano foi causado e que caminhos imprudentes foram, sem querer, percorridos. Sua presença transborda e influencia a sociedade por meio de nossas formas coletivas de nos vermos e fazermos negócios, ela penetra em nossas instituições e na maneira como ignoramos nossos ambientes internos e externos.

Tudo o que fazemos é colorido de uma forma ou de outra por nossa ignorância da doença de não saber quem somos e como somos. Trata-se da aflição maior, da doença maior, que cede lugar a muitas variantes, a muitas manifestações diversas de angústia e sofrimento no nível do corpo, da mente e do mundo.

Dukkha

Budistas têm uma palavra incrível e extremamente útil para o des-compasso que vem de estar cheio de desejo, acorrentado a um animal moribundo e sem saber o que somos.

Eles chamam isso de *dukkha*, um termo em páli, idioma em que os ensinamentos de Buda foram escritos originalmente. O significado de *dukkha* é muitíssimo difícil de capturar em uma única palavra em outros idiomas. Então, *dukkha* é transmitido por tradutores e pesquisadores como "sofrimento", "angústia", "estresse", "mal-estar", "doença"ou "insatisfação".

A primeira Nobre Verdade dos ensinamentos de Buda é a centralidade, a universalidade e a inevitabilidade do *dukkha*, o sofrimento inato do des-compasso que, invariavelmente, de formas sutis ou nada sutis, dá cor e condiciona a estrutura profunda de nossa vida. Todas as práticas meditativas budistas giram em torno do reconhecimento do *dukkha*, em relação à identificação de suas raízes e à descrição, ao desenvolvimento e à implementação de caminhos pelos quais podemos, cada um, nos libertar de suas influências opressoras, cegantes e aprisionadoras. Esses caminhos para a libertação do sofrimento, do *dukkha*, na verdade, são todos um só, um único método voltado a nos acordar para o que estamos mantendo em segredo ou escondido de nós. Como? Prestando atenção sábia ao que surge em nossa experiência, em vez de ao que tendemos a fazer, que é ou não prestar atenção nenhuma a ela ou, de maneira alternada, chafurdar-se nela, romantizá-la, aguentá-la em silêncio e sem esperança, lutar contra ela, nos afogarmos mesmo nela ou, ainda, infinitamente nos distrairmos para escapar dela. Esse caminho oferece a possibilidade de uma vida muito mais satisfatória e autêntica. Então, a verdade da universalidade do *dukkha* não é de fato um lamento sentimental e passivo sobre sua inevitabilidade – precisamente porque essa insatisfação (e, às vezes, angústia) não é duradoura nem intrinsecamente limitante. É possível trabalhar com ela, mesmo em seus aspectos mais horrendos, e vê-la se tornar nossa professora. Pode servir, também, para mostrar como podemos nos libertar de suas amarras.

É importante dizer que nossa exploração da possibilidade de libertação do sofrimento, do *dukkha*, e de levar uma vida mais autêntica e satisfatória não é empreendida só para nosso próprio benefício – embora isso, em si, seja uma conquista e tanto e possa ser a motivação que nos leva à prática de *mindfulness* –, mas, de formas muito reais e não românticas, para o benefício de todos os seres com os quais nossa vida está inexoravelmente enrodilhada. Isso significa que são muitos seres, o universo todo, aliás.

No coração de todas essas práticas meditativas para reconhecimento, libertação e cessar do *dukkha* está o cultivo do *mindfulness*, uma forma inteiramente diferente de se relacionar com essa condição onipresente de des-compasso, uma forma que envolve abraçá-lo e estar disposto a trabalhar com ele, a observá-lo sem viés em suas características mais íntimas.

Como dissemos, é possível pensar no *mindfulness* como uma consciência franca, sem julgamento, do momento presente, do conhecimento direto, não conceitual da experiência conforme ela acontece, em seu surgimento, em sua permanência momentânea e em sua ida. Falando com os dedicados à incorporação de seus ensinamentos por meio da prática intensa e sistemática, Buda disse:

> Este é o caminho direto para a purificação dos seres,
> para a superação da tristeza e da lamentação,
> para o desaparecimento da dor e do luto,
> para a conquista da verdade,
> para a realização da libertação –
> ou seja, as quatro fundações do *mindfulness*.

Uma afirmação e tanto!

Todo o budismo é orientado para despertarmos das ilusões que criamos para nós e daquelas a que estamos condicionados por experiências passadas. Ao despertar, nos libertamos do sofrimento e da angústia que vêm de nos equivocarmos sobre a natureza da realidade por nossas visões limitadas e auto-orientadas e nossa tendência a captar e nos apegar ao que desejamos e afastar o que tememos.

Nos últimos 2.600 anos, as várias tradições meditativas do budismo se desenvolveram e exploraram e refinaram uma gama de métodos altamente sofisticados e eficazes para o cultivo do *mindfulness*, da sabedoria e da compaixão que emergem naturalmente de sua prática. Há muitas portas para o cômodo do *mindfulness*. Embora a vista de cada uma possa ser bem diferente em alguns aspectos, o importante é entrar no cômodo. A porta a escolher é a mais compatível com você ou a mais conveniente, por qualquer razão que seja. Porém, acima de tudo, o convite é entrar, entrar, entrar, em vez de ficar parado no corredor comentando o assunto.

Thomas Cahill argumentou que os irlandeses salvaram a civilização ocidental copiando os manuscritos antigos de monges durante a Idade Média na Europa e que o presente dos judeus ao mundo foi a primeira articulação do tempo histórico correndo e, portanto, um senso da possibilidade de desenvolvimento do indivíduo no tempo, em conexão pessoal com o espiritual. Da mesma forma, poderíamos dizer que a figura histórica de Buda e de seus seguidores deram ao mundo um algoritmo bem definido, um caminho de investigação, que ele mesmo trilhou em busca do mais fundamental à natureza da humanidade: a possibilidade de estar plenamente consciente, desperto e livre dos grilhões de nosso próprio condicionamento, incluindo nossos hábitos de pensamento e percepção não examinados e as emoções aflitivas que os acompanham tão intimamente e de maneira tão frequente, sem serem convidadas.

Ímãs de *dukkha*

Considere o seguinte: não importa se você quer chamar de estresse, des-compasso ou *dukkha*, é óbvio que hospitais funcionam como um grande ímã de *dukkha* em nossa sociedade. Seus campos de força puxam de nós aqueles que mais estão sofrendo a cada momento, com doença, com des-compasso ou ambas as coisas; com estresse, dor, trauma e males de todos os tipos. As pessoas vão ou são levadas ao hospital quando não há mais para onde ir, quando esgotaram as opções e os recursos. Via de regra, hospitais não são lugares aos quais vamos para nos divertir nem para sermos entretidos ou iluminados. São lugares a que vamos quando buscamos ser tratados e, com sorte, restaurados e arrumados (dizemos "consertados"), se não curados. Vamos com a expectativa de que seremos atendidos adequada e apropriadamente e de que seremos cuidados com atenção; e, se tivermos muita sorte, talvez sejamos "iluminados" sobre o que está acontecendo conosco e o que precisamos fazer.

Dado o nível de sofrimento que os hospitais atraem, seria de se pensar: *Que lugar melhor para oferecer treinamento em* mindfulness *que uma autoridade como o próprio Buda disse ser o caminho direto para superar a tristeza, a lamentação, o desaparecimento da dor e do luto, em resumo, o alívio do sofrimento? Será que alguma exposição ao* mindfulness, *se ele é mesmo tão poderoso, fundamental e universal como alegava Buda, não traria benefício significativo para muitas das pessoas que entram ou são carregadas pela porta?* É claro que essa oferta estaria disponível não como substituta para o cuidado médico bom e compassivo, mas como um complemento a quaisquer tratamentos recebidos. E que lugar seria melhor para oferecer esse treinamento não só para os pacientes, mas também para a equipe, que em muitos casos está tão estressada quanto os pacientes?

Foi assim que nasceu a redução de estresse baseada em *mindfulness* (MBSR). No início, ela era oferecida principalmente para os pacientes médicos que caíam no limbo do sistema de saúde, pessoas a quem os tratamentos disponíveis não podiam ajudar por completo. Acabou sendo muita gente. Estavam incluídos, ainda, aqueles que não tinham melhorado com o tratamento médico tradicional ou sofriam com doenças intratáveis, para as quais a medicina tem poucas opções e nenhuma cura. Estávamos felizes de oferecer a eles uma oportunidade de explorar por si mesmos as fronteiras do possível.

O programa, porém, logo atraiu um espectro de pacientes ainda maior no hospital. Afinal, "redução de estresse" tem um apelo inato. A reação quase universal às placas no corredor que apontam para redução de estresse é "poderia ser bom para mim", seguido, claro, em muitos casos, por "mas é claro que não tenho tempo para isso". No entanto, na conjuntura atual, quase quarenta anos depois, cada vez mais pacientes e ainda mais médicos percebem que não podem *não* fazer o programa e começam a prestar mais atenção ao que há tanto tempo está deixado de lado.

Desde sua criação, a MBSR deu aos médicos de todas as disciplinas e especialidades uma nova opção para seus pacientes. A clínica de redução do estresse era um lugar dentro do hospital onde os pacientes médicos podiam, sem se internar, aprender a fazer algo por si, como complemento a todos os tratamentos e os procedimentos, algo potencialmente muito poderoso e também difícil de encontrar, precioso.

Em paralelo, a possibilidade de referir seus pacientes à MBSR também deu aos médicos uma forma de aliviar seu próprio estresse advindo de pacientes para quem já não tinham boas opções de tratamento, mas que continuavam voltando com reclamações e, em muitos casos, estavam muitíssimo insatisfeitos com o tratamento ou a falta dele. Agora, havia um lugar aonde mandá-los, dentro do hospital, onde, num ambiente altamente estruturado, acolhedor e emocionalmente seguro, eles poderiam ser convidados a assumir mais responsabilidade pela própria experiência e pelos estados mentais e corporais que eles experimentavam e que os faziam sofrer, não importava quão dolorosas, problemáticas ou crônicas eram essas doenças. O programa ofereceria a eles a possibilidade (e os guiaria por ela) de acessar os recursos internos até então desconhecidos, mas muito profundos e disponíveis para aprender, crescer, curar e transformar – não só durante as oito semanas de programa, mas, esperava-se, pelo resto da vida.

No processo, pessoas que se sentiam basicamente como recipientes passivos de cuidados de saúde teriam oportunidade de se tornar participantes inteiras e parceiras vitais em seus próprios cuidados de saúde e bem-estar. E poderiam passar por esse processo ao mesmo tempo que eram vistas por completo e tidas em alta conta pelo instrutor da turma, simplesmente por serem humanas e por serem quem eram e terem passado pelo que tinham passado. Além do mais, seriam acolhidas e abraçadas pela comunidade emergente de benevolência e gentileza, o que os budistas chamam de *sangha*, que parece nascer, de maneira espontânea, quando se pratica *mindfulness* junto. Essa era a visão por trás do que passamos a pensar cada vez mais como *medicina participativa*, que envolvia recrutar os recursos interiores do paciente como componente vital de qualquer tratamento médico ou cirúrgico que ele recebesse.

Como as palavras "medicina" e "meditação" de fato compartilham do mesmo significado na raiz, um centro médico e uma escola de medicina oferecerem meditação a seus pacientes não era uma justaposição tão absurda quanto se pode imaginar, nem mesmo em 1979, quando a MBSR começou.

Tanto "medicina" quanto "meditação" vêm do latim *mederi*, que significa "curar". A raiz indo-europeia profunda de *mederi*, porém, traz o significado central de "medir". Não se refere à nossa noção comum de medida, como computar a relação quantitativa de um padrão estabelecido para uma propriedade em particular, como comprimento, volume ou área. Em vez disso, refere-se à noção platônica de que todas as coisas têm sua própria medida interna, as propriedades que tornam o objeto o que ele é. A medicina pode ser entendida como aquilo que restaura a medida interna correta quando ela é perturbada, e a meditação, como a percepção direta da medida interna correta e o conhecimento experimental profundo de sua natureza.

Hospitais não são os únicos ímãs de *dukkha* na sociedade, só são o mais óbvio. Prisões também são ímãs de *dukkha*, o destino de muitas vidas moldadas pelo *dukkha* e, portanto, têm tendência a perpetrar o sofrimento contínuo e impensável nos outros e em si mesmas. Felizmente, programas de *mindfulness* são cada vez mais oferecidos em prisões[15].

Por outro lado, muitas de nossas instituições, como escolas e locais de trabalho, produzem ou atraem seu tipo particular de *dukkha*, e programas baseados em *mindfulness* de um tipo ou

---

15 Ver, por exemplo, Samuelson, M., Carmody, J., Kabat-Zinn, J. e Bratt, M. A. "Mindfulness-Based Stress Reduction in Massachusetts Correctional Facilities". *The Prison Journal* (2007) 87, pp. 254-68.

outro têm sido, por necessidade, levados para esses domínios com cada vez mais frequência e qualidade. No fim das contas, o *dukkha* é, como ensinou Buda, onipresente – um fato da vida. *Não* significa que "a vida é sofrimento", uma difundida interpretação equivocada da primeira Nobre Verdade (ver o próximo capítulo deste volume). Significa que "existe a realidade do sofrimento", que ele precisa ser reconhecido e levado em conta para nos libertarmos dele. A única saída, como observou sabiamente Helen Keller, é atravessar. A única forma de atravessar é reconhecer o *dukkha* quando ele aparece e conhecer intimamente sua natureza, momento a momento.

Darma

A qualidade de nossa relação com a experiência e as paisagens múltiplas, interiores e exteriores, nas quais ela se desenrola começa, obviamente, com nós mesmos.

Por exemplo, se temos um desejo de que o mundo seja mais pacífico, será que podemos examinar bem e ver se nós mesmos conseguimos ser pacíficos? Estamos preparados para notar quando podemos não ser tão pacíficos e de onde vem isso? Conseguimos notar como podemos ser, por vezes, belicosos, beligerantes, egocêntricos e egoístas no microcosmo de nossa própria vida e mente? Se desejamos que os outros vejam mais claramente, conseguimos prestar atenção a como vemos as coisas e somos capazes de perceber, apreender e compreender o que está acontecendo em dado momento sem pré--julgamento ou preconceito? E estamos dispostos a admitir, nós mesmos, como isso pode ser difícil e como é importante?

Se desejamos saber algo sobre quem somos, no espírito da conclamação de "conheça-te a ti mesmo" de Sócrates e da afirmação de Yeats de que não nos conhecemos, não tem como evitar a necessidade de nos examinarmos profundamente. Se desejamos mudar o mundo, talvez seja bom trabalharmos a mudança em nós também para, então, mudarmos o mundo, até e em especial diante de nossa resistência, relutância e cegueira e até quando somos confrontados com a lei da impermanência e a inevitabilidade da mudança, condições às quais estamos sujeitos como indivíduos, não importa quanto resistamos, protestemos ou tentemos controlar os resultados. Se desejamos dar um salto qualitativo e alcançar maior consciência, não há como contornar a necessidade de estar disposto a despertar e se importar profundamente com o despertar.

No mesmo sentido, se desejamos mais sabedoria e gentileza no mundo, talvez possamos aprender a habitar nosso próprio corpo um pouco mais, com algum grau de gentileza e sabedoria, mesmo que por um momento, nos aceitando como somos com suavidade e compaixão, em vez de nos forçarmos a atingir algum ideal impossível. O mundo de imediato seria diferente. Se desejamos fazer diferença verdadeira por aqui, talvez devamos primeiro aprender a nos posicionarmos em relação à nossa própria vida e ao nosso próprio conhecimento ou, pelo menos, aprender no caminho, que sempre é a mesma coisa, já que o mundo não espera por nós, mas acontece junto de nós, em reciprocidade íntima. E, se desejamos crescer, mudar ou nos curarmos de alguma forma, talvez ser menos estridentes ou aquisitivos, mais confiantes ou generosos, talvez devamos primeiro experimentar silêncio e quietude, saber que beber no poço dessas sensações é, em si, curador e transformador. Isso acontece abraçando, em consciência, o que quer que achemos *aqui* neste momento, inclusive nossas tendências mais entranhadas e inconscientes.

Tudo isso se sabe há muito tempo, mas práticas liberadoras como meditação estiveram, em sua maioria, segregadas, por todos esses séculos, em monastérios sob a guia de diversas tradições culturais e religiosas. Por motivos variados, incluindo as vastas distâncias geográficas e culturais entre eles e a distância dos renunciados do mundo secular e aquele mundo, esses monastérios tendiam a ser isolados, às vezes, mantendo segredo sobre suas práticas e talvez, em alguns casos, sendo paroquiais e exclusivos, em vez de universais. Pelo menos, até agora.

Nesta era, tudo o que já foi descoberto pelos seres humanos está disponível para investigarmos, como nunca antes. Em particular, a meditação budista e sua sabedoria tradicional, conhecida como *Dharma*, Budadarma ou darma, nos está disponível como jamais esteve e toca a vida de milhões de norte-americanos e outros ocidentais de formas que seriam inimagináveis há quarenta ou cinquenta anos.

O que os budistas chamam de darma é uma força antiga neste mundo, como os evangelhos, exceto que, em essência, não tem nada a ver com conversão religiosa nem, aliás, com religião organizada, tampouco com o budismo em si, se quisermos pensar no budismo como religião. Mas, como os evangelhos, é literalmente uma boa-nova.

A própria palavra "darma", que quer dizer tanto os ensinamentos de Buda quanto as leis do universo e "a forma como as coisas são", chegou ao idioma inglês pela caracterização famosa de Jack Kerouac de si mesmo e seus amigos *beatniks* como "Vagabundos do Dharma", pela apelação do "Leão do Darma" de Allen Ginsberg e pelo marketing de ter sido usado por um tempo como um nome excêntrico de mulher numa série de TV, anunciada de forma proeminente em estações de metrô e na lataria de ônibus, como tantas vezes acontece nos Estados Unidos.

Originalmente, o darma foi articulado por Buda no que ele chamava de as Quatro Nobres Verdades. Ele desenvolveu esse ensinamento fundamental, e isso continua a ser transmitido e elaborado até hoje, em linhagens e fluxos contínuos dentro de todas as tradições budistas. Em certo sentido, é apropriado caracterizar o darma como algo que lembra o conhecimento científico, sempre se expandindo e mudando, mas com um corpo central de métodos, observações e leis naturais destiladas após anos de exploração interior por meio da auto-observação e do autoexame disciplinados, um registro e um mapeamento cuidadosos e precisos de experiências encontradas ao investigar a natureza da mente, e o teste e a confirmação empíricos dos resultados.

A lei do darma, porém, é tal que, para ser darma, não é preciso ser exclusivamente budista, assim como a lei da gravidade não é inglesa por causa de Newton nem italiana por causa de Galileu, e as leis da termodinâmica não são austríacas em razão de Boltzmann. As contribuições deles e de outros cientistas que descobriram e descreveram leis naturais sempre transcendem suas culturas particulares, porque dizem respeito à natureza pura e simples, e a natureza é um todo contínuo e, por fim, profundamente misterioso, um todo do qual nós mesmos não estamos excluídos, mas com o qual estamos, sim, aninhados.

A elaboração de Buda sobre a lei do darma transcende sua época específica e sua cultura de origem da mesma forma, embora uma religião tenha nascido dali, ainda que peculiar do ponto de vista ocidental, pois não se baseia em idolatrar uma divindade suprema. É melhor pensar em *mindfulness* e darma como descrições universais do funcionamento da mente e do coração humanos, considerando a qualidade da atenção em relação à experiência do sofrimento e ao potencial para o bem-estar e a sabedoria (*eudaimonia*). Eles se aplicam igualmente onde quer que haja mentes humanas, assim como as leis da física se aplicam igualmente em todos os cantos de nosso Universo (até onde sabemos) ou a gramática universal gerativa de Noam Chomsky se aplica em todas as linguagens na elaboração do discurso humano.

Do ponto de vista de sua universalidade, é útil lembrar que o próprio Buda não era budista. Era um curador e um revolucionário, embora tranquilo e introvertido. Ele diagnosticou nosso "des-compasso" humano coletivo e prescreveu um remédio benevolente para a sanidade e o bem-estar. Posto isso, seria possível dizer que, para o budismo ser o mais eficiente possível como veículo do darma neste estágio da evolução do planeta, e para seu remédio tão necessário ter o máximo de eficácia, será preciso abrir mão do budismo em todo sentido religioso formal – ou, pelo menos, abrir mão de qualquer apego a ele em nome ou forma. Como o darma, afinal, tem a ver com a não dualidade, distinções entre Budadarma e darma universal ou entre budistas e não budistas não podem ser fundamentais. Dessa perspectiva, as tradições e as formas particulares em que ele se manifesta são vivas e vibrantes, múltiplas e em constante evolução; ao mesmo tempo, a essência permanece, como sempre, sem formas, sem limites e sem distinção.

Aliás, nem a palavra "budismo" é budista em sua origem. Aparentemente, foi cunhada por etnólogos, filólogos e pesquisadores de religião europeus nos séculos XVII e XVIII. Eles almejavam compreender, de fora, por meio de suas próprias lentes culturais e suposições tácitas, um mundo religioso que lhes era em grande medida opaco. Por mais de dois mil anos, os que praticavam os ensinamentos de Buda, em qualquer linhagem – e havia muitas, até dentro do mesmo país, todas com interpretações diferentes dos ensinamentos originais –, aparentemente se referiam a si mesmos como "seguidores do Caminho" ou "seguidores do Darma". Eles não se descreviam como budistas.

Voltando ao Darma como os ensinamentos de Buda, a primeira das Quatro Nobres Verdades que ele articulou, após seu intensivo exame da natureza da mente, foi a prevalência universal do *dukkha*, o "des-compasso" fundamental da condição humana. A segunda foi a causa do *dukkha*, que Buda atribuiu diretamente ao apego e ao desejo não examinado. A terceira foi a afirmação, com base em sua experiência como experimentador no laboratório de sua própria prática de meditação, de que o fim do *dukkha* é possível, em outras palavras, de que é possível ser curado por completo do "des-compasso" causado pelo apego. A quarta delineia uma abordagem sistemática, conhecida como Nobre Caminho Óctuplo, para o fim do *dukkha*, a dispersão da ignorância e, assim, a libertação. Juntas, as quatro refletem uma perspectiva médica antiga que ainda é muito usada: *diagnóstico* (primeira Nobre Verdade); *etiologia* (segunda Nobre Verdade); *prognóstico* (terceira Nobre Verdade); e *plano de tratamento* (quarta Nobre Verdade). O prognóstico é afirmado como muito positivo, ou seja, a libertação do sofrimento, da ganância, do ódio e da ilusão é possível, e o plano de tratamento detalha a abordagem recomendada.

Mindfulness é um dos oito elementos de prática do Caminho Óctuplo, o que unifica e informa todos os outros. As oito práticas são: compreensão sábia ou "correta", pensamento sábio, fala sábia, ação sábia, meio de vida sábio, esforço sábio, *mindfulness* ou atenção sábios e concentração sábia. Cada uma contém as outras. São aspectos diferentes de um todo contínuo. Thich Nhat Hanh coloca da seguinte forma:

> *Quando o mindfulness correto está presente, as Quatro Nobre Verdades e os outros sete elementos do Caminho Óctuplo também estão.*
>
> THICH NHAT HANH

A Clínica de Redução do Estresse e a MBSR

Voltando ao *dukkha* e ao "des-compasso", se eu não soubesse antes, por minha própria prática de meditação e pela observação de minhas tendências incessantes de ficar inconsciente, preso e completamente enredado na turbulência da mente pensante e das emoções reativas, trabalhar numa clínica de redução de estresse logo confirmou quanto o "des-compasso" da inconsciência é onipresente. Estamos famintos por corrigi-lo, desesperados por uma experiência consistente, autêntica, franca de estar vivo, de não estar dividido, famintos por paz de espírito e desejosos de encontrar algum alívio do que costuma parecer uma esteira de dor física e emocional infinita.

Todas essas e inúmeras outras faces do *dukkha* surgiam em conversa com pessoas que chegavam para ser entrevistadas antes de entrar para o programa. Eu simplesmente perguntava, na abertura:

— O que o traz à redução de estresse? — E, depois, ficava em silêncio e ouvia.

Se a pessoa se sente acolhida, vista e aceita como é, essa questão a convida a falar de coração. Carrega o reconhecimento e a aceitação de que pode haver profundezas sem limites para o sofrimento de alguém – ou, pelo menos, que pode parecer assim.

Aprendi com essa escuta que nossos pacientes iam à clínica de redução do estresse por muitos motivos diferentes, os quais, no fim, eram só um: ser inteiros de novo, recapturar uma fagulha que sentiam já ter tido ou que sentiam nunca ter tido, mas que sempre desejaram. Eles iam porque queriam relaxar, aliviar um pouco de seu estresse, diminuir a dor física ou aprender a viver melhor com ela, achar paz de espírito e recuperar uma sensação de bem-estar.

Eles iam porque queriam assumir o controle de sua vida, parar de tomar analgésico ou ansiolítico e não ser, como frequentemente diziam, "tão nervosos e tensos". As pessoas iam à clínica após terem sido diagnosticadas com doença cardíaca, câncer ou dor crônica ou, ainda, uma série de outros problemas médicos inconvenientes em sua vida e em sua liberdade de ir atrás de seus sonhos. Iam porque estavam, por fim, dispostas, frequentemente devido ao desespero, a fazer algo por si, algo que ninguém mais no planeta podia fazer por elas, incluindo os médicos, ou seja, assumir controle de sua vida e fazer o que podiam sozinhas, como complemento vital ao que a medicina alopática tradicional era capaz de oferecer. A esperança era ficar mais forte, mais saudável, talvez também mais sábio, por dentro e por fora.

Os pacientes iam por causa de aspectos de sua vida, de seu corpo – ou de ambos – que não estavam mais funcionando para eles e porque sabiam que a medicina não podia fazer tudo e não seria suficiente, não tinha sido suficiente até então. Iam porque seus médicos conferiam uma legitimidade em nomear diretamente e enfrentar o estresse e a dor em sua vida e fazer algo com isso ao simplesmente nos indicar a eles. Iam porque nossa clínica estava bem ali no hospital e, portanto, *mindfulness* e redução de estresse, meditação, ioga e todo o trabalho interior em que seriam convidados a se engajar, muito dele em silêncio, podiam ser vistos como parte integral da medicina e dos cuidados tradicionais com a saúde e, portanto, como abordagens legítimas para lidar com os problemas.

Talvez, acima de tudo, iam – e ficavam – porque conseguimos, de alguma forma, criar na sala uma atmosfera que convidava à escuta profunda e franca, uma atmosfera que os participantes reconheciam imediatamente como benigna, empática, respeitosa e tolerante. Esse tipo de sensação, infelizmente, pode ser uma experiência rara num centro médico lotado.

Como dávamos a todos bastante tempo para responder à questão "O que o traz aqui?", a maioria estava disposta e até contente em falar honesta e abertamente, muitas vezes com bastante pungência, sobre sua doença e seu "des-compasso", sobre se sentir perdida ou sobrecarregada, vitimizada ou de alguma forma não suficiente, não só sobre câncer, dor ou problema cardíaco listado como o diagnóstico primário e motivo da indicação. Suas histórias revelavam com frequência o sofrimento comovente que acompanha não ser visto ou honrado por outros na infância e chegar à idade adulta sem sentir sua própria bondade, beleza ou valor. E, claro, falavam de forma emocionante sobre o sofrimento do corpo... De lombalgia crônica, dor no pescoço, dor no rosto, dor na perna, muitas formas diversas de câncer, HIV ou aids, doenças cardíacas e uma miríade de males somáticos, piorados, em muitos casos, pelo sofrimento da mente com a ansiedade crônica e o pânico, com a depressão e a decepção, com o luto, a confusão, a exaustão, a irritabilidade crônica, a tensão e uma série de estados emocionais por vezes incrivelmente aflitivos.

A boa notícia, como descobriu, várias vezes ao longo dos anos, quem passou pelo programa de MBSR e como documentada num número cada vez maior de estudos médicos, não só de nossa clínica, mas de programas baseados em *mindfulness* em hospitais e clínicas no mundo, é que cada um de nós pode ter um papel em enfrentar e abraçar a totalidade do que somos como seres humanos, em afirmar que, quem quer que sejamos, é possível despertar para o que é escondido e opaco, assustado e assustador em nós, aquilo que molda nossa vida, quer saibamos, quer não, e despertar também a outros anseios mais saudáveis e sãos que nos chamam das profundezas de nosso coração, deixando-os florescer de formas restauradoras e curadoras – em muitos casos, reduzindo de maneira dramática os sintomas negativos que apresentamos. Eu e meus colegas nas clínicas de MBSR ao redor do mundo vimos isso acontecer com inúmeros indivíduos que sofrem com níveis impensáveis de estresse, dor, doença e circunstâncias e histórias de vida inimagináveis, inclusive "catástrofe total", o espectro completo da pungência da condição humana em toda a sua complexidade e sua especificidade dilacerante.

Grande ou pequeno, flagrante ou sutil, o grau de transformação que pode ocorrer nas pessoas num intervalo relativamente curto nunca deixa de me surpreender. Às vezes, posso vê-lo em mim mesmo, quando meus sentidos não me deixam ou eu os deixo. E, surpreendentemente, por vezes, eu os noto me deixando e, portanto, restauro uma medida de equilíbrio e clareza momentânea ou até sustentada.

Abraçar a catástrofe total da condição humana e enfrentar o que é talvez mais indesejado, mas, mesmo assim, está presente uma vez que ocorreu, faz parte de despertar para nossa vida e de levar a vida que é nossa. Em parte, isso envolve recusar deixar o "des-compasso" e o *dukkha*, sejam flagrantes, sejam sutis, passarem sem ser notados ou nomeados. Envolve estar disposto a encarar e trabalhar com o que quer que surja em nossa experiência, sabendo ou crendo que isso é possível, especialmente se estivermos também dispostos a fazer certo tipo de trabalho, o trabalho da consciência, que envolve nos acalmarmos várias e várias vezes, voltarmos ao momento presente e a tudo o que ele tem a oferecer. Quando lembrarmos, envolve estarmos dispostos a descansar nessa consciência e usarmos suas energias impressionantes no desdobramento de nossa vida, conforme a encontrarmos.

A nação do TDAH

Uma manifestação de *dukkha* e "des-compasso", cada vez mais prevalente nesta era, é o transtorno do déficit de atenção, ou TDA. O TDA é uma séria desregulação no processo da atenção. Ocorre tanto em crianças quanto em adultos. Quarenta anos atrás, ninguém jamais ouvira falar de déficit de atenção. Aliás, esse diagnóstico não existia. Agora, parece ser uma condição cada vez mais difundida.

Como a meditação tem tudo a ver com o cultivo de nossa capacidade de prestar atenção, seria possível pensar que a perspectiva meditativa joga luz nas possíveis maneiras de evitar ou tratar essa condição – e, de fato, é o caso. No entanto, também pode valer a pena afirmar que, da perspectiva das tradições meditativas, toda a sociedade sofre do transtorno do déficit de atenção – e muito! – e de sua variante mais prevalente, o transtorno do déficit de atenção com *hiperatividade*,

TDAH. E está piorando. Aprender a refinar nossa habilidade de prestar atenção e sustentá-la pode não ser mais um luxo, mas um salva-vidas para nos levar de volta ao que é mais significativo, mais fácil de perder, ignorar, negar ou atravessar tão rápido que se torna impossível notar.

Tenho uma sensação de que nós, norte-americanos, também tendemos a sofrer de déficit de atenção de outra forma, mais sutil e subterrânea, devido à direção particular assumida por nossa cultura nos últimos cinquenta anos. Ou seja, estamos em falta e nos sentindo destituídos da atenção verdadeiramente cuidadosa dos outros. Estamos sujeitos a nos sentir mais e mais solitários e invisíveis nesta cultura de entretenimento obcecada por celebridades, que pode ser muito isolada em sua insularidade – pense em assistir à oferta de *sitcoms* e *reality shows* noite após noite, se emocionando com a vida ou as fantasias dos outros, ou encontrar seus relacionamentos mais íntimos *on-line*, em salas de bate-papo ou no Facebook, Snapchat ou Instagram, constantemente buscando *likes*, aprovação, conexão. Também não estamos obsessivamente preocupados com consumir? Pense no impulso incessante de preencher seu tempo, de chegar a outro lugar ou de obter o que acha que está faltando para se sentir satisfeito e feliz.

Em nossa solidão, nosso isolamento, nosso impulso aparentemente perpétuo em direção à autodistração a serviço de encontrar um momento de conexão significativa, há um anseio profundo, um desejo, em geral inconsciente ou ignorado, de pertencer, de ser parte de um todo maior, de não ser anônimo, de ser visto e conhecido. Pois as relações, a troca, o dar e receber, especialmente no plano emocional, são o que nos lembra de que temos um espaço neste mundo, são como sabemos de coração que de fato pertencemos e fazemos diferença. É profundamente satisfatório experimentar conexões significativas com os outros. Ansiamos por essa sensação de pertencimento, pelo sentimento de que estamos conectados a algo maior que nós. Ansiamos por ser percebidos pelos outros, ser notados e valorizados por quem de fato somos, não meramente pelo que fazemos. E, na maior parte do tempo, não somos.

Raramente somos tocados por outros vendo e conhecendo de forma benevolente quem somos. Em sua maior parte, as pessoas estão indo rápido e preocupadas demais para prestar atenção por muito tempo em qualquer um. Nossa forma de viver em comunidades suburbanas e rurais tende a ser insular e isolada. Hoje, até a cultura de bairros tende a ser isolada, solitária e insegura. As crianças assistem a horas e mais horas de televisão ou desaparecem em jogos de computador ou *smartphones* em vez de brincar nas ruas – em parte, simplesmente para garantir a segurança delas, em parte, por hábito, vício e tédio. A atenção, enquanto estão ligadas nos aparelhos, é inteiramente passiva, atenção antissocial, uma distração perpétua de nossa interioridade e das relações incorporadas. Muitas pesquisas mostram que o engajamento social ativo está caindo em crianças. Como adultos, já não conhecemos nossos vizinhos e decerto não dependemos deles como as gerações antigas. Hoje, é raro o bairro que se revela uma verdadeira comunidade.

Mesmo nas famílias, nesta era, muitos pais de crianças pequenas estão com frequência tão estressados, tão preocupados e tão infernalmente ocupados que correm alto risco de não estarem presentes para seus filhos, mesmo quando estão fisicamente perto. Os pais estão tão cronicamente assoberbados e distraídos que, em muitos momentos, nem verem de forma clara seus filhos nem pensam em pegar no colo os pequenos quando estes estão aflitos. Portanto, pode ser que ninguém na família receba a atenção, de forma consciente, de que precisa e que merece.

Na frente médica, até fazer seu médico prestar atenção em você pode ser um desafio nesta época. Médicos têm pouquíssimo tempo para seus pacientes. Estão espremidos e estressados com as pressões da própria agenda. O desprezo involuntário pode se tornar um risco profissional e uma condição endêmica. Bons médicos se protegem disso, de maneira consciente, o máximo possível, mas até os melhores profissionais são triturados pelas pressões de tempo da medicina nesta era do cuidado "gerenciado" (leia-se racionado e cada vez mais voltado ao lucro).

O déficit de atenção provavelmente não era tão prevalente quando éramos caçadores e coletores, durante a maior parte dos mais de 100 mil anos do *Homo sapiens sapiens* na Terra, ou quando nos voltamos à agricultura e à pecuária, cuidando de grãos e cabeças de gado, há 10 mil anos. Note que a própria palavra *"sapiens"* é um particípio presente – indicando o desdobramento no momento presente – do verbo latino *sapiere*, conhecer, experimentar, perceber, ser sábio. Somos a espécie consciente consciente. Somos a espécie que tem a capacidade de saber e saber que sabe; em outras palavras, de ser sábia, de ter uma perspectiva-meta, de ter consciência de estar consciente – ou assim nos nomeamos, o que é revelador.

Como notado anteriormente, nossos ancestrais caçadores e coletores precisavam prestar constante atenção, senão morriam ou eram comidos, se perdiam ou acabavam expostos às intempéries, sem abrigo. Como a comunidade em que se nascia era tudo o que havia, essa capacidade de prestar atenção cuidadosa e ler os sinais do mundo natural precisava incluir ler rostos, humores e intenções alheios. Por todos esses motivos, qualquer um com déficit na atenção teria fracassado por completo na seleção natural da evolução. Nunca seria possível viver o suficiente para ter filhos e transmitir os genes.

Segundo a mesma medida, fazendeiros são naturalmente entranhados nos ritmos da terra e da nova vida, bem como na necessidade de cuidar dela de hora em hora. Prestar atenção e estar alinhado a esses ciclos da natureza, do dia, das horas, das estações, muito antes de haver relógios e calendários para marcar a passagem do tempo, era algo crítico para a sobrevivência. Não é de espantar que, quando procuramos tranquilidade, muitos de nós a encontramos na natureza.

O mundo natural não tem artifícios. A árvore em frente à janela e os pássaros nela só existem no agora, remanescentes do que antes era a natureza selvagem, que era e é, nos locais em que ainda está protegida, infinita na escala do humano. O mundo natural sempre define o agora. Por instinto, sentimos uma parte da natureza, porque nossos ancestrais nasceram dela e nela, e o mundo natural era o único mundo, tudo o que havia. Ele oferecia uma multiplicidade de dimensões experimentais para seus habitantes, que precisavam compreender todas elas para sobreviver; isso, às vezes, era chamado de mundo espiritual ou mundo dos deuses, mundos que podiam ser sentidos, embora, em geral, fossem invisíveis.

A mudança de estações, vento e clima, luz e noite, montanhas, rios, árvores, oceanos e correntes marítimas, campos, plantas e animais, vastidão e natureza é algo que até hoje fala conosco. Nos convida e nos carrega de volta para o presente em que sempre estão (e nós, também, mas esquecemos). Nos ajudam a focar e cuidar do que é importante; nos lembram, na elegante frase de Mary Oliver, de "nosso lugar na família das coisas".

No entanto, muito mudou para nós nos últimos cem anos, conforme nos afastamos da intimidade com o mundo natural e uma vida inteira de conexão com a comunidade em que nascemos. Essa mudança se tornou ainda mais pronunciada nos últimos 25 anos, mais ou menos, com o advento e a adoção virtualmente universal da revolução digital. Todos os aparelhos de nossa conectividade aumentada e de "economia de tempo" nos orientam na direção de mais velocidade, mais abstração, mais desencarnação, mais distância e, se não tivermos cuidado, mais desconexão.

Hoje, é mais difícil prestar atenção a uma só coisa, e há mais elementos em que prestar atenção. Somos facilmente desviados e mais facilmente ainda distraídos. De modo constante, somos bombardeados com mensagens de texto, alertas, apelos, prazos, comunicações e informação demais de que não precisamos e que somos incapazes de assimilar e processar. As coisas nos atingem velozes e furiosas, incansáveis. E quase tudo é criado pelo homem; há pensamento por trás e, quase sempre, um apelo ou para nossa ganância, ou para nossos medos. Esses ataques ao nosso sistema nervoso continuamente estimulam e criam desejo e agitação, não satisfação e calma. Criam reação, não comunhão; discórdia, não acordo ou concórdia; consumismo, não sensação de completude como somos. E, acima de tudo, se não tivermos cuidado, eles roubam nosso tempo, nossos momentos. Estamos sempre sem tempo e sendo catapultados para o futuro enquanto nossos momentos presentes são atacados e consumidos no fogo da urgência infinita, mesmo que seja apenas a urgência de completar mais uma tarefa. Pode parecer que nunca há tempo suficiente.

Diante de toda essa velocidade, essa ambição e essa insensibilidade somática, somos levados a estar mais e mais pensativos, tentando entender as coisas e ficar em dia, em vez de sentir como elas realmente são. Num mundo que já não é primariamente natural ou vivo, nós nos vemos o tempo todo interagindo com máquinas que estendem nosso alcance, ao mesmo tempo que sucumbimos a nos desincorporar com seu uso viciante, seja o rádio no carro, o próprio carro, a televisão no quarto, o computador no escritório e, cada vez mais, na cozinha, seja o *smartphone* em todo lugar.

A aceleração incansável de nossa maneira de viver nas últimas gerações tornou focar em qualquer coisa uma espécie de arte perdida. Essa perda se combinou com a revolução digital, que – pense em alguns anos atrás, se você tiver idade suficiente – rapidamente entrou em nosso cotidiano em forma de computadores domésticos, faxes, bips, celulares, celulares com câmeras, *palmtops* para organização pessoal, *laptops*, conectividade 24 horas de alta velocidade, a internet e sua World Wide Web e, claro, e-mail, tudo hoje cada vez mais sem fio, o que há pouco tempo era um sonho, coisa de ficção científica. Apesar de toda a inegável conveniência, utilidade, acesso, eficiência, melhor coordenação, informação, organização, entretenimento e facilidade de compras, bancos e comunicação *on-line* que essas criações digitais trazem consigo, essa colossal revolução tecnológica que mal começou já transfigurou irreversivelmente a forma como vivemos, quer percebamos, quer não.

Não há dúvidas de que ela mal começou, mas já transformou inteiramente a casa e a forma como trabalhamos – muita gente, hoje, se senta em frente a telas, digita e clica em ícones o dia inteiro, dia após dia; numa primeira avaliação, foi isso que virou a maior parte do trabalho para um segmento enorme dos trabalhadores. Essa realidade aumentou o quanto conseguimos fazer em um dia e, portanto, nossas expectativas de conquista de objetivos e entrega imediata do que quer que nós (ou "eles") queiramos. Essa nova forma de trabalhar e viver nos inundou de repente com opções infinitas, oportunidades infinitas de interrupção, distração, "responsa--abilidade" (o trocadilho com nossa habilidade de responder é proposital) e uma espécie de urgência flutuante ligada até aos acontecimentos mais triviais. A lista de tarefas fica cada vez maior, e estamos sempre correndo neste momento para chegar ao próximo.

Tudo isso ameaça erodir nossa habilidade e nossa inclinação de sustentar a atenção e, portanto, conhecer as coisas profundamente *antes* de iniciar qualquer tipo de ação. Vemos essa desatenção quando, em um e-mail, clicamos *enviar* só para, no segundo seguinte, nos lembrarmos de que esquecemos de anexar o que acabamos de dizer que estava lá, ou decidir que não queríamos de fato dizer o que acabamos de dizer, ou que na verdade queríamos dizer algo que não dissemos... mas já foi.

A tecnologia em si mina qualquer tempo em que possamos refletir. Ela motiva um impulso às vezes irresistível de resolver e rolar a tela para a próxima coisa, passar para o próximo item da nossa caixa de entrada. Podemos suspirar internamente e, então, deixar para lá ou mandar uma correção, se possível. O que mais podemos fazer com e-mails que seguiram antes de prontos?

Dessa forma, porém, uma mediocridade onipresente pode entrar em nosso discurso e nossas interações do cotidiano, especialmente se não prestarmos atenção às escolhas insidiosas que fazemos de um momento a outro. Pois somos, como observaram alguns especialistas em TDA, levados à distração por todas as nossas deliciosas oportunidades e escolhas. Chegamos a nos interromper, muitas vezes, momento a momento, em nossas multitarefas compulsivas, de tão estrangeiros que se tornaram nossa capacidade e nosso desejo de concentrar a mente e direcioná-la a um objeto.

Levamo-nos à distração, e o mundo humano nos leva à distração de formas que o mundo natural em que nos desenvolvemos como espécie nunca levou. O mundo humano, apesar de todas as suas maravilhas e os seus dons profundos, também nos bombardeia com mais e mais coisas inúteis para nos tentar, nos seduzir, nos atiçar, apelando a nosso desejo infinito de transformação. Ele acaba com as chances de estarmos satisfeitos em estar em determinado momento, em apreciar de fato esse instante sem ter de preenchê-lo com alguma coisa ou passar correndo para a próxima. Ele nos rouba tempo, enquanto reclamamos de não ter tempo algum. Ele deu origem a uma dança de desatenção e instabilidade mental. Ah, se pudéssemos trabalhar em não nos distrair – e não nos distrair quando trabalhamos.

É revelador e, na verdade, trágico que grandes números de crianças pequenas sejam hoje medicadas para TDA e TDAH, a partir dos 3 anos. Será que, em muitos desses casos, não são os adultos que levam as crianças à distração e à hiperatividade? Será que esses comportamentos não são normativos para esta época e, portanto, normais, dadas as circunstâncias? Talvez o comportamento das crianças seja só um sintoma de um "des--compasso" muito mais permanente da vida familiar e da vida em geral nesta era, como é provável que seja o caso da epidemia desenfreada de obesidade que vemos em crianças e adultos.

Se os pais raramente estão presentes por estarem tão ocupados e assoberbados, e se estão perdidos em pensamentos mesmo quando fisicamente perto, e se estão longe, no trabalho, a maior parte do tempo, inclusive à noite e aos fins de semana, ou no telefone quando estão em casa, e também equilibrando as necessidades organizacionais e físicas da casa, talvez os filhos, mesmo muito pequenos, sofram de privação parental e de um luto enorme, quase genético. Talvez haja um déficit de atenção parental, um déficit de vida de fato, respiração, sentimento, aconchego corporal, presença confiável e não errática, distraída.

Afinal, o Universo é das pessoas grandes, ou isso é o que nós, grandes, gostamos de pensar. Então, se os adultos são impelidos constantemente à distração, em algum grau, e têm dificuldade de se concentrar em alguma coisa por muito tempo, é de surpreender que mais e mais crianças sejam assim, já que o ritmo delas, desde que nascem, é, extraordinariamente, em especial quando recém-nascidas e bebês, tão ligado ao nosso?

Em alguns casos, talvez as crianças não sofram de TDA, pelo menos até terem acesso a telefones e mensagens instantâneas. Podem ser só crianças normais com muita energia, que exibem alguns temperamentos, mas que por sua vez, hoje, são percebidas e até diagnosticadas como um problema de sala de aula, aberrações comportamentais com TDA ou TDAH porque os adultos já não têm inclinação nem paciência para lidar de maneira consistente com a exuberância e os desafios normais da infância.

Então, muitos de nós nos sentimos presos pelas circunstâncias, mas, ao mesmo tempo, também nos encontramos viciados na velocidade em que nossa vida acontece. Até nosso estresse e nossa angústia podem ser estranhamente satisfatórios ou intoxicantes. Então, podemos relutar em desacelerar e nos entregar ao momento presente, a prestar atenção total às necessidades de nossos filhos quando conflitam com as nossas, embora sejam muito reais e estejam sempre mudando, não porque eles têm uma desordem comportamental, mas porque são crianças.

Na verdade, nossos filhos podem sucumbir a um "des--compasso" adquirido por terem de lidar conosco em um lar

TDA/TDAH e de ir a uma escola TDA/TDAH com regras demais e um currículo desincorporado, dominado por enormes quantidades de informação fragmentada e desintegrada. Então, como produto dessa iniciação, eles devem ser capazes de entrar em nossa sociedade TDA/TDAH e se conectar de formas significativas com o trabalho, os relacionamentos e sua própria vida. Mesmo que essa caracterização seja parcialmente precisa, só pensar nela pode dar dor de cabeça, se não ataques de pânico.

Conectividade 24 horas

Com a menor das atenções, já é possível perceber que nosso mundo está mudando radicalmente bem debaixo de nosso nariz, de formas nunca antes experimentadas pelo sistema nervoso humano. À luz da enormidade dessas mudanças e seu impacto em nossa vida, no âmbito de família e trabalho, pode ser uma boa ideia refletir, de vez em quando, sobre quanto elas podem nos afetar. Aliás, pode ser uma boa ideia levar *mindfulness* a todo o domínio da conectividade 24 horas e o que ela gera conosco e para nós.

Meu chute é que, na maior parte, mal notamos. Estamos presos demais em nos adaptar às novas possibilidades e desafios, aprendendo a usar as tecnologias para fazer mais, mais rápido e talvez até melhor. No processo, nos tornamos dependentes delas por completo, até viciados. E, percebendo ou não, somos varridos numa corrente de aceleração temporal que não mostra sinais de desacelerar. A tecnologia, proclamada para produzir ganhos de eficiência e lazer, ameaça nos roubar os dois, se é que já não o fez. Quem você conhece que tem mais lazer? Até o conceito parece estranho a nosso tempo, uma volta aos anos 1950.

Diz-se que o ritmo de nossa vida, hoje, é ditado por uma aceleração exponencial inexorável conhecida como lei de Moore (em referência a Gordon Moore, fundador da Intel, que a formulou pela primeira vez), que governa o tamanho e a velocidade dos circuitos integrados. A cada dezoito meses, o poder de computação e a velocidade da nova geração de microprocessadores aumenta a um fator de dois, enquanto seu tamanho diminui a um fator de dois e seu custo continua o mesmo. Pense nisto: aumento da velocidade de processamento, cada vez mais miniaturização, eletrônicos cada vez mais baratos, sem fim à vista. Essa combinação profere uma sedução em sistemas de computador para o trabalho e a casa, bens de consumo, jogos e aparelhos eletrônicos portáteis que podem facilmente levar ao vício e à perda de todo o sentido de medida e direção conforme respondemos a esmo a volumes crescentes de e-mail, mensagens de voz, faxes, páginas e tráfego de celular chegando de todos os cantos do planeta. É verdade que, fora as montanhas de lixo e anúncios agressivos e o bombardeio de nossos sentidos praticamente em todo lugar, sem escapatória, muito do que chega a nós é de gente de quem gostamos e com quem queremos ficar conectados. Mas e o equilíbrio? E como regulamos o ritmo da conectividade instantânea e ubíqua e as expectativas da resposta imediata?

Com aparelhos digitais e *smartphones*, agora, conseguimos estar tão conectados que podemos estar em contato com qualquer um a qualquer momento, fazer negócios de qualquer lugar, receber mensagens e ligações ou checar o e-mail em qualquer canto e a qualquer momento. No entanto, já passou pela sua mente que, no processo, corremos o risco de nunca estar em contato com nós mesmos? No processo de se envolver, podemos facilmente nos esquecer de que nossa conexão primeira com a vida é por meio de nossa própria interioridade – a experiência de nosso corpo e todos os sentidos, incluindo a mente que nos permite tocar e ser tocado pelo mundo e agir de forma apropriada em resposta a isso. Portanto, precisamos de momentos que não estão preenchidos com nada, nos quais não pulamos para encaixar mais um telefonema ou mandar mais um e-mail, ou planejar mais um evento, ou adicionar tarefas à nossa lista, mesmo se isso for possível. Momentos de reflexão, de matutar, de pensar nas coisas, de ponderação.

Na urgência e na tirania da conectividade, como fica a conectividade conosco? Estamos nos tornando tão conectados a todos os outros que nunca estamos onde de fato estamos? Estamos na praia ao celular, então, onde estamos? Estamos caminhando na rua ao celular, então, onde estamos? Estamos dirigindo ao celular, então, onde estamos? Temos de deixar a possibilidade de estar em nossa vida sair pela janela diante da aceleração no nosso ritmo e das possibilidades de conexão instantânea e infinita?

E que tal *não* se conectar com ninguém em nossos momentos "intermediários"? E perceber que na verdade não há nenhum momento intermediário? E estar em contato com quem está deste lado da ligação, não do outro? E ligar para nós mesmos, para variar, e ver como estamos, como estão as coisas? Nem precisamos do telefone para isso, embora, cada vez mais, haja aplicativos de *mindfulness* para nos lembrar de estar presentes. Embora eles sejam úteis para desenvolver ou aprofundar uma prática formal de meditação – inclusive, os que eu desenvolvi especificamente para acompanhar este livro (ver página 195) –, porém, que tal simplesmente estar em contato com como nos sentimos em determinado momento, mesmo quando podemos nos sentir anestesiados, assoberbados, entediados, desconjuntados, ansiosos, deprimidos ou precisando cumprir mais uma tarefa?

E que tal estar conectado com nosso corpo e com o universo de sensações pelas quais sentimos e conhecemos a paisagem externa? E permanecer, por mais tempo do que os momentos mais irracionais e automáticos, conscientes do que está surgindo a determinado momento na mente: nossas emoções e humores, nossos sentimentos, pensamentos, crenças? E permanecer não só com seu conteúdo, mas também com sua sensação, sua realidade como energia e eventos importantes de nossa vida, como enormes reservas de informação para autocompreensão, enormes oportunidades de catalisar transformação, de viver autenticamente de acordo com o que experimentamos momento a momento e com o que conhecemos e compreendemos? E que tal cultivar uma imagem mais ampla que inclui nós mesmos em todo e qualquer nível, mesmo que a imagem sempre esteja incompleta, sempre tímida, sempre mutante, sempre emergindo ou não conseguindo emergir, às vezes, com clareza, às vezes, não?

Boa parte do tempo, nossa conectividade tecnológica recente não serve a propósito algum, só ao hábito, e força os limites do absurdo, como num quadrinho da *New Yorker*:

> Uma estação de trem na hora do *rush*. Pessoas saindo do trem e pessoas entrando no trem. Todas com celular ao ouvido. A legenda: "Estou entrando no trem agora"; "Estou saindo do trem agora".

Quem são essas pessoas? (Ah, sim, quase esqueci, somos todos nós.) O que tem de errado com só entrar no trem ou sair do trem, sem essa informação vital ser comunicada? Ninguém mais só sai de um avião e encontra o outro da forma antiga, tendo o celular apenas como garantia? Segundo minhas observações casuais em aterrisagens de aviões, a resposta é "não". Muito em breve, se não tomarmos cuidado, será: "Estou no banheiro agora."; "Estou lavando as mãos agora". Precisamos mesmo saber?

Se estivéssemos dizendo *a nós mesmos*, poderia ser apenas uma anotação mental de nossa experiência e, portanto, bastante útil ao cultivo da consciência da experiência incorporada acontecendo no momento presente. Estou entrando no trem (e sei disso). Estou saindo do trem (e sei disso). Estou indo ao banheiro (e sei disso). Estou sentindo a água em minhas mãos (e sei disso). Estou reconhecendo de onde vem a água limpa e como ela é preciosa. Isso é o despertar incorporado. Com prática, passamos a ver que o pronome pessoal não é tão necessário. É só entrar, sair, ir, sentir, saber, saber, saber...

Dizer a mais alguém? Quem precisa disso? Pode aniquilar o momento com distração, desvio e reificação. De alguma forma, estar sozinho na nossa experiência e com ela já não é considerado suficiente, embora seja nossa vida naquele momento.

É de parar para pensar... E talvez seja essa a pausa de que precisamos para perceber nossa conectividade essencial, mas tão facilmente perdida com o corpo, a respiração, o mundo não adulterado, análogo, não digitalizado da natureza, com este momento como ele é e com quem nós realmente somos.

Isso não quer dizer que boa parte da tecnologia em que hoje estamos imersos não seja incrível e extremamente útil. Celulares permitem que os pais fiquem em contato com seus filhos onde quer que eles estejam, dia ou noite. Alertaram passageiros em um dos aviões sequestrados no 11 de Setembro sobre qual era a situação e, aparentemente, levaram os passageiros no quarto avião a evitar que ele atingisse seu alvo. Celulares nos permitem encontrar uns aos outros e coordenar nossas atividades de modos maravilhosos e úteis. No entanto, também são uma grande causa de acidentes de carro, pois as pessoas estão mais preocupadas com suas conversas telefônicas (e, segundo uma pesquisa recente, ainda mais com mexer no botão da rádio, comer e se arrumar) do que com dirigir de forma segura ou mesmo saber onde estão enquanto dirigem. Há toda uma nova camada de significado em sair para almoçar... perigosamente, quase criminosamente, em muitos casos. (Telefone ao ouvido: "Opa! Desculpe. Quase o atropelei.

Não o vi atravessando a rua na minha frente. Estava no meio de uma conversa pesada com meu contador, meu advogado, minha mãe, meu sócio".) E isso sem falar sobre as enormes questões de privacidade digital com que a tecnologia nos confronta, que cada compra e cada movimento nossos podem ser rastreados e analisados, e nossos hábitos pessoais, classificados e catalogados de formas que mal podemos imaginar e que podem redefinir completamente o que consideramos do reino do privado. No mínimo, significa receber mais e mais catálogos pelo correio.

Computadores, impressoras e suas incríveis capacidades de *software*, junto com a possibilidade de trocar documentos instantaneamente por e-mail em qualquer lugar e com o acesso à informação imediata que, antes, podia levar dias para obter, nos permitem, em muitos casos, trabalhar mais, individual e coletivamente, em um dia a quantidade que conseguiríamos em uma semana ou até um mês há 25 anos, e talvez trabalhar melhor. Não estou, de forma alguma, defendendo uma condenação luddista do desenvolvimento tecnológico nem romanticamente desejando voltar o relógio para uma era mais simples, mas acredito ser importante estarmos atentos a todas as novas e cada vez mais poderosas formas, com mais delas chegando a cada dia e a cada ano, por meio das quais podemos e seremos capazes de nos perder na atração viciante do exterior e nos esquecer do interior, nos tornando, assim, cada vez mais desconectados de nós mesmos.

Quanto mais somos carregados para o mundo externo dessas formas novas e cada vez mais rápidas com que nosso sistema nervoso nunca se deparou, mais importante pode ser desenvolvermos um contrabalanço robusto do mundo interior, que nos acalme e afine o sistema nervoso, colocando-o a serviço de viver sabiamente, tanto para nós quanto para os outros. Esse balanço pode ser cultivado levando mais *mindfulness* ao corpo, à mente e a nossas experiências na interface entre exterior e interior – e aos momentos em que estamos usando a tecnologia para ficar conectados ou em que o impulso de fazer isso está surgindo. Senão, corremos um alto risco de viver automatizados, sem tempo nem para contemplar quem está fazendo todas essas coisas, quem está indo para um lugar mais desejável – mas será que é mesmo?

Atenção parcial contínua

Linda Stone, ex-pesquisadora da Microsoft, foi citada por Thomas Friedman no jormal *The New York Times* descrevendo nosso estado mental como de "atenção parcial contínua". O próprio Friedman trata o assunto como pessoal:

> Eu amo essa frase. Quer dizer que, enquanto você está respondendo a seu e-mail e conversando com seu filho, seu telefone toca e você tem uma conversa. Agora, você está envolvido num fluxo contínuo de interações e só se concentra parcialmente em cada uma.
> "Se estar realizado é se comprometer com outra pessoa ou alguma experiência, isso exige um nível de atenção sustentada", disse Stone. E é essa habilidade que estamos perdendo, pois constantemente vasculhamos o mundo em busca de oportunidades

e constantemente com medo de perder algo melhor. Isso se tornou incrivelmente exaustivo para o espírito.

Friedman continua:

> Estou impressionado com quantas pessoas ligam para meu escritório, perguntam se eu estou e, se ouvem que não, imediatamente pedem meu celular ou *pager* (não carrego nenhum dos dois). Não existe mais estar fora. A suposição, agora, é que você sempre está. Não existe mais fora. Agora, você sempre está. E, quando você sempre está, você sempre está disponível.
> E, quando você sempre está disponível, com o que você mais se parece? Um servidor de computador. [...]
> O problema é que os seres humanos simplesmente não são feitos para serem como servidores de computadores. Para começar, são feitos para dormir oito horas por noite. [...] Como disse Jeff Garten, reitor da escola de administração de Yale e autor de [...] *The Mind of the CEO* [A mentalidade do CEO]: "Talvez não seja hora de nos adaptarmos ou morrermos, mas de a tecnologia se adaptar ou morrer".

No entanto, esse tipo de adaptação provavelmente não acontecerá sem um grande compromisso com se tornar mais atento. Talvez, você tenha notado que, hoje em dia, cada vez mais, em grande medida devido às inovações de tecnologia nos escritórios, o trabalho não tem fim. Já não há mais uma jornada de trabalho, pois o trabalho e a nossa capacidade de fazê-lo em qualquer lugar se expande para todas as horas do relógio. Já não há mais uma semana de trabalho para muitos de nós nem limites entre a semana e o fim de semana. Já não há um local de trabalho, já que qualquer lugar, aviões, restaurantes, casas de férias, hotéis, a rua enquanto caminhamos, uma trilha enquanto andamos de bicicleta – tudo se torna um local de trabalho quando estamos com acesso a celular, e-mail e sites. Como descreveu um anúncio de página inteira no jornal *The New York Times* há dez anos: "Quando o Microsoft Office vira sem fio, acontece algo incrível. Você, agora, pode levar seu local de trabalho para qualquer lugar".

Sim. Isso é maravilhoso, conveniente e incrivelmente útil de muitas formas e, nos últimos dez anos mais ou menos, o trabalho só ficou mais assim. Não estou criticando, mas sugerindo que tenhamos consciência de como a atração das demandas por nossa atenção e os estímulos que entram e saem influenciam nossa vida, além de lembrar que pode ser possível tomar decisões momento a momento em favor de mais equilíbrio. Quanto mais usamos a tecnologia, mais passamos a depender dela e nos deixamos levar por sua atração cada vez mais acelerada e mais precisamos nos perguntar: "Quando é nosso tempo para nós?". Quando é nosso tempo para simplesmente ser? Para viver uma vida analógica? Quando o tempo com a família é importante o suficiente para não ser interrompido nem nos afastarmos dele? Quando há tempo para só caminhar ou pedalar, ou comer, ou fazer compras, e só estar com o que está acontecendo naquele momento, sem intrusões estranhas ou a necessidade de fazer a próxima tarefa ao mesmo tempo, para adiantar o cumprimento de nossa agenda sem fim ou só para preencher (também dizemos "matar") o tempo quando estamos entediados? E saberíamos o que fazer com esse tempo, como estar nele, se ele aparecesse? Ou pegaríamos um jornal por reflexo, telefonaríamos para alguém, começaríamos a clicar no controle remoto – enquanto nós mesmos ficamos mais remotos em relação à vida real?

Alguns exemplos da seção de negócios do *Sunday New York Times*, de 2004, três anos antes do advento do iPhone, em 2007.

> "Há dez anos, era preciso estar no escritório por doze horas", diz Bruce P. Mehlman, secretário assistente de comércio para política de tecnologia e

ex-executivo da Cisco Systems, que disse que, hoje, passa dez horas no trabalho, o que lhe dá mais tempo com sua esposa e seus três filhos, enquanto usa seu *laptop* sem fio, BlackBerry e telefone celular. "Posso ajudar meus filhos a se vestir, dar café da manhã a eles, dar banho neles e ler para eles à noite", declara. Ele também pode brincar de batalha aérea de Lego – um jogo no qual ele e seu filho de 5 anos colocam aviões de Lego para lutar.
Os dois amam o jogo, e há um benefício extra para o pai: ele pode brincar com uma das mãos enquanto usa a outra para falar ao telefone ou checar e-mails. A manobra de multitarefas ocasionalmente exige um truque: embora Mehlman em geral deixe seu filho vencer a batalha aérea de Lego, ele às vezes se permite vencer, o que força o filho a passar alguns minutos montando de novo seu avião. "Enquanto ele está reconstruindo o avião, eu checo meu e-mail no BlackBerry", explica Mehlman.

Charles Lax, um capitalista de risco de 44 anos, usa a tecnologia para se manter numa "corrida contra o tempo" com seus concorrentes bem-financiados. Ele próprio admite que está "sempre ligado". Na escrivaninha de seu escritório, há um telefone fixo, um celular, um *laptop* conectado a várias impressoras e uma televisão, muitas vezes ligada na CNN ou na CNBC. Ao seu lado, fica o Sidekick, um aparelho móvel [hoje superado e tornado obsoleto pelo *smartphone*] que serve como câmera, calendário, agenda de contatos, aparelho de mensagens instantâneas e telefone reserva, capaz de navegar na internet e receber e-mail. Ele é conhecido por pegar o aparelho sempre que este apita – e reconhece tê-lo usado para checar seus e-mails no banheiro.
No carro também não há tempo de folga. "Eu falo ao telefone, mas tenho um *headset*", diz Lax. Ele faz outra coisa, como usar seu Sidekick para ler e-mail? "Não vou ser citado dizendo o que mais eu faço, porque poderia ser preso", diz ele, rindo.

Lax disse que ama o estímulo constante. "É gratificação instantânea", que afasta o tédio, diz. "Eu uso quando estou numa situação de espera – se estou numa fila, esperando servirem meu almoço ou pegando um café no Starbucks. E, meu Deus, no aeroporto, onde é desastroso ter que esperar."
"Poder enviar um e-mail em tempo real é simplesmente..."... Lax pausa. "Você pode esperar um segundo? Minha outra linha está tocando."
Quando volta, ele diz compartilhar essa forma de trabalho com muitos capitalistas de risco. "Todos sofremos de uma espécie de TDA", fala. "É tipo uma piada, mas é verdade. Nós nos entediamos facilmente. Temos muita coisa acontecendo ao mesmo tempo." Ele checa seus e-mails até quando está na academia.
A tecnologia lhe dá uma forma de dirigir sua energia em excesso. "É uma espécie de ritalina", declara. Mas diz que a dependência tecnológica pode ter suas desvantagens. "Estou em reuniões o tempo todo com pessoas focadas no que estão fazendo no computador, não na apresentação."[16]

No grau em que nos tornamos viciados em tecnologia, seduzidos pelo computador, teremos de afirmar a primazia de nossa vida interior e o poder da atenção completa momento a momento em nos conectar conosco e com o mundo que acontece a cada instante. Se nunca estamos longe do e-mail e dos *smartphones*, se continuamente somos seduzidos pelas multitarefas sem atenção, então, pode ser que "fora", como diz Friedman, tenha acabado, e "estar" também pode ter acabado, se tornado insignificante, pois deixamos de saber como estar totalmente presentes ou como dar toda a nossa atenção a uma questão, deixamos mesmo que isso seja importante.

---

16 Ver o livro de meu colega Judson Brewer, *The Craving Mind: From Cigarettes to Smart-Phones to Love – Why We Get Hooked & How We Can Break Bad Habits* (New Haven, CT: Yale University Press).

Foi provado inúmeras vezes que fazer mais de uma tarefa ao mesmo tempo de forma eficaz é um mito – o desempenho em cada uma das tarefas em questão decai conforme nossa atenção vai para lá e para cá entre demandas concorrentes. Então, o desafio do momento é mesmo a questão de conseguirmos "estar disponíveis" de novo para nós mesmos. Será que a presença de espírito pode ser sustentada ao longo do tempo? Conseguimos prestar atenção em uma só coisa, a questão do momento, seja ela qual for? Vamos alguma vez estar de folga, para podermos ser, em vez de só fazer? E quando vai ser isso?

Se não o anseio sussurrado e a sabedoria inata de nosso próprio coração, o que e quem nos chamarão de volta a nós mesmos? E precisaremos da empresa de telefonia ou de algum microchip embutido em algum lugar, no futuro, para fazer até isso?

A "sensação" do tempo passando

Você já notou que a sensação interior do tempo desacelera drasticamente quando você está em algum lugar não familiar, engajado em alguma empreitada aventureira? Vá a uma cidade estrangeira por uma semana e faça várias coisas diferentes: vai parecer, quando você voltar, que ficou muito mais tempo fora. Um dia pode parecer uma semana inteira, e uma semana pode parecer um mês, de tanto que você fez, divertindo-se plenamente.

É possível ter uma experiência similar ao acampar na natureza. Toda experiência é nova. Mesmo que o lugar não tenha "vista", tudo o que você vê é pela primeira vez. Por isso, a frequência de momentos notáveis ou do que pensamos como "digno de nota" é mais alta do que pode ser em casa. E, claro, há menos das distrações domésticas usuais, a não ser que você tenha levado um *trailer* e uma antena parabólica ou um *laptop*.

Enquanto isso, as pessoas que ficaram em casa tiveram uma semana mais ou menos normal, que pareceu para elas passar em um piscar de olhos, como se você mal tivesse saído e agora já estivesse de volta.

Segundo Ray Kurzweil, mago dos computadores, futurista, defensor da inteligência artificial e inventor de intensificadores de sentidos para quem tem algum tipo de deficiência, nossa sensação do tempo passando, prejudicada, interna e subjetiva, é calibrada pelo intervalo entre o que sentimos como eventos "marcantes" ou notáveis e o "grau de caos" do sistema. Ele chama isso de Lei do Tempo e do Caos. Quando a ordem decresce e o caos (a quantidade de eventos desordenados relativos ao processo) cresce, o tempo (o tempo entre eventos de destaque) desacelera. E quando a ordem cresce e o caos decresce num sistema, o tempo (o tempo entre eventos em questão) acelera. Esse corolário, que ele chama de Lei dos Retornos Acelerados, descreve processos evolutivos, como a evolução das espécies, ou das tecnologias, ou do poder de computação.

Bebês e crianças jovens têm muitos acontecimentos marcantes naqueles anos formativos, e a frequência desses acontecimentos decresce com o tempo, enquanto o nível de caos no sistema (digamos, por exemplo, acontecimentos imprevisíveis da vida) aumenta. O intervalo entre eventos marcantes é curto, e, portanto, a experiência sentida da infância é de atemporalidade ou do tempo passando muito lentamente. Mal estamos conscientes dele, tão presentes no momento. Conforme envelhecemos, os intervalos espaçados (tempo) entre marcos de desenvolvimento parecem se esticar cada vez mais, e o momento presente muitas vezes parece vazio e não realizado, sempre o mesmo. Subjetivamente, temos a impressão de que o tempo corre conforme envelhecemos, porque nosso modelo de referência se torna mais longo.

Então, se você quiser desacelerar o sentimento interior de sua vida passando, e talvez passando por você, há duas maneiras. Uma é preencher a vida com o máximo possível de experiências novas e, com sorte, "marcantes". Muitas pessoas são viciadas nessa forma de viver, sempre buscando a próxima grande experiência para a vida valer a pena, seja a próxima viagem para um local exótico, esportes radicais ou só um jantar *gourmet*.

A outra forma de desacelerar a sensação do tempo passando é tornar notáveis e dignos de nota mais de seus momentos comuns, notando-os. Isso também reduz o caos e aumenta a ordem na mente. Os menores momentos podem representar verdadeiros marcos. Se você realmente estivesse presente e habitando seus momentos com consciência total enquanto eles ocorrem, independentemente do que fossem, descobriria que cada um é único e novo e, portanto, grandioso. Sua experiência do tempo desaceleraria o tempo. Você poderia até se ver saindo da experiência subjetiva do tempo que passa, conforme se abre à qualidade atemporal do momento presente. Como há um número astronomicamente grande de momentos no resto de sua vida, não importa quantos anos você tem, quanto mais estiver ali para eles, mais vívida se torna a vida. Quanto mais ricos os momentos em si e mais curto o intervalo entre eles, mais lenta a passagem do tempo do ponto de vista de sua experiência e mais "longa" sua vida se torna, pois você está mais presente em mais de seus momentos.

Agora, o interessante é que ainda há mais uma forma para desacelerar a sensação do tempo passando. Essa forma traz um sentimento bastante negativo. É quando você está preso em depressão, turbilhão emocional ou infelicidade. Se as coisas não vão bem em suas férias, uma semana ou até um dia podem parecer intermináveis, porque você não quer estar ali. As coisas não acontecem de acordo com o planejado. Nossas expectativas não são cumpridas e estamos numa luta aparentemente contínua com a forma como as coisas são, porque não são como queremos.

O tempo, então, parece um peso, e mal conseguimos esperar para chegar em casa ou para as circunstâncias externas mudarem, para a chuva parar, o que quer que seja que absolutamente precisamos que aconteça para nos sentirmos realizados, para nos sentirmos felizes. Seja longe, seja em casa, quando caímos na depressão podemos ter dificuldade de fazer as coisas, e tudo parece vazio e um saco, tudo é um esforço, e o tempo em si nos puxa para baixo, para o abatimento. Parece que nunca haverá um acontecimento significativo, grandioso, inspirador, que nenhum marco de desenvolvimento voltará a ser conquistado ou experimentado.

No domínio do mundo exterior, Kurzweil argumenta que nossa tecnologia evolui num ritmo exponencial, seguindo a Lei dos Retornos Acelerados (da qual a Lei de Moore é um exemplo) e, portanto, que os marcos de desenvolvimento na tecnologia se dão cada vez mais rápido. Como nossa vida e sociedade estão, agora, tão intimamente ligadas a nossas máquinas, essa aceleração no ritmo da mudança em si leva nossa vida a um ritmo cada vez mais acelerado, e é por isso que as coisas não só parecem ir, mas de fato acontecem cada vez mais rápido.

Precisamos, hoje, nos adaptar a um ritmo cada vez mais veloz de trabalho e a necessidades cada vez mais exigentes para processar quantidades enormes de informação com rapidez, comunicá-las de forma eficiente e fazer coisas importantes ou, pelo menos, urgentes. Até nossas opções de entretenimento se expandiram a um ritmo cada vez mais acelerado, nos fornecendo cada vez mais escolhas, cada vez mais instantâneas em nossas tentativas de achar momentos de relaxamento, distração e satisfação. E tudo isso só fica mais rápido.

*

Muitos engenheiros digitais, entre eles Kurzweil, acreditam que, como as máquinas são programadas para se tornar cada vez mais "inteligentes", no sentido de serem capazes de aprender e modificar seus resultados com base nos dados inseridos ("experiência"); assim, as próprias máquinas, e não as pessoas, desenharão a próxima geração de máquinas. Isso já está acontecendo em muitas indústrias. Além do mais, com o potencial para implantes de silicone (como *upgrades* de memória), robôs que simulam pensamentos e talvez até sentimentos, nanotecnologia e engenharia genética, alguns engenheiros digitais prescientes alertam que a evolução foi além do humano e, agora, inclui a evolução das máquinas. Desse modo, a era dos seres humanos, como conhecemos e usamos o termo "humano", pode chegar ao fim mais rapidamente do que qualquer um de nós percebe ou até imagina[17].

Se isso tem mesmo uma possibilidade remota de ser verdade, então, talvez devêssemos explorar todo o repertório de nossa humanidade e de nossa herança evolutiva enquanto ainda é possível. Isso incluiria fazer perguntas sobre como é valioso para nós, enquanto sociedade, regular de maneira consciente essa evolução tecnológica, de modo que ela não acabe com os aspectos que consideramos preciosos de nossos bilhões de anos de herança genética e talvez 100 mil anos de *Homo sapiens sapiens* e meros 5 mil anos, mais ou menos, do que chamamos de "civilização".

Fomos extraordinariamente precoces como espécie, em especial em nosso desenvolvimento e no uso de ferramentas, linguagem, formas de arte, pensamento, ciência e tecnologia. Em outras arenas, porém, ainda temos de melhorar, em qualquer coisa parecida com uma escala global, nosso potencial de autoconhecimento, sabedoria e compaixão, por exemplo. Essas dimensões de nossa herança são inatas para nosso cérebro grande e nosso corpo extraordinário, mas, por enquanto, continuam lamentavelmente subdesenvolvidas. Podemos ter muita dificuldade de nos adaptar ao que enfrentamos como espécie nas próximas décadas, a não ser que encontremos maneiras de cultivar esses aspectos de nossa mente, encontremos formas de desacelerar o tempo interna e externamente e

---

17 Ver, por exemplo, Tegmark, M. *Life 3.0: Being Human in the Age of Artificial Intelligence* (Nova York, Knopf, 2017).

de usar nossos momentos e nossa capacidade de ver de forma clara e nossa sabedoria.

*

Voltando à experiência do tempo passando, *mindfulness* pode restaurar nossos momentos para nós, lembrando-nos de que é possível e até valioso continuar com eles, habitá-los, senti-los com todos os nossos sentidos e conhecê-los conscientemente. Essa consciência, poderíamos dizer, está de forma experiencial fora do tempo, no eterno agora, o presente. Assim, momentos passados em despertar silencioso, sem que nada aconteça depois, sem mesmo qualquer propósito se não estarmos vivos e despertos o suficiente para apreciar a vida como é neste momento, nos dá um grau crítico de equilíbrio e clareza, que é quase sempre minado pela turbulência e pela tenacidade de nossos vícios internos e externos. Dessa forma, o *mindfulness* desacelera ou até para, por um tempo, a sensação de passagem do tempo. Ele também pode nos dar novas formas de sustentar e olhar profundamente o que está acontecendo na paisagem exterior e nossa reação a isso, incluindo nossa vulnerabilidade e nosso envolvimento com o que se passa nos reinos tecnológico, social e político. Na paisagem interior, o *mindfulness* nos dá uma chance de ver além das reações e dos padrões emocionais que nos afligem com sofrimento e uma sensação de desespero e solidão. Ele nos oferece novas oportunidades de trabalhar com o sofrimento tanto do vazio quanto da completude do tempo e da passagem do tempo.

*

"As pessoas dizem que a vida é curta demais, mas ela é longa demais. Esses lugares [cafés, lojas] provam isso. Existem apenas para drenar o excesso de tempo."

Então, por que o senhor Seinfeld está fazendo isso [tentando desenvolver um número de comédia *stand-up*] consigo mesmo? Por que só não pega seus milhões e vai a Saint Bart por alguns anos?

Eu realmente penso muito nisso. O motivo, acho, é que eu realmente amo. Eu amo fazer *stand-up*. É divertido e aproveita tudo o que você tem como ser humano. E tudo acontece bem aqui e agora. O nível em que você conquista qualquer coisa reflete imediatamente de volta para você naquele momento.

Jerry Seinfeld, na *New York Times Magazine*

A consciência não tem centro nem periferia

É difícil notar, mas também difícil não notar, que a consciência, quando a habitamos, não tem centro nem periferia. Dessa forma, ela lembra o próprio espaço e o que conhecemos da estrutura sem fronteiras do universo.

Apesar de Galileu, porém, da revolução de Copérnico e da impressionante descoberta do Hubble sobre a expansão do universo a partir de todos os locais, ainda tendemos a pensar, sentir e falar como se o cosmo fosse centrado em nosso pequeno planeta. Falamos do sol nascendo no leste e se pondo no oeste, e essa convenção funciona muito bem para passarmos pelo o dia, embora saibamos que a realidade é um pouco diferente. Nosso ponto de vista naturalmente evoluiu por meio dos sentidos do corpo, então, a queda no Gaiacentrismo e no autocentrismo é facilmente compreendida e compreensível. É o que podemos chamar de visão convencional sujeito-objeto do mundo. Não é totalmente verdadeira, mas, no geral, funciona muito bem, com limites. Esse mesmo impulso de criar um centro e nos colocar nele dá cor a quase tudo o que vemos e fazemos, então, não é de espantar que também afete até nossa experiência da consciência, pelo menos até retirarmos a visão convencional que nos impomos e a experimentarmos como ela realmente é.

Nosso ponto de vista vem inevitavelmente de nosso ponto de ver. Como nossa experiência é centrada no corpo, tudo o que é apreendido parece estar em relação com sua localização e é conhecido pelos sentidos. Há quem vê e há a visão, quem cheira e o que é cheirado, quem experimenta e o que é experimentado, resumindo, o observador e o observado. Parece haver uma separação natural entre os dois, o que é tão evidente que mal se questiona ou explora, exceto pelos filósofos. Quando começamos a prática de *mindfulness*, essa sensação de separação invariável, expressa como a separação entre o observador e o que é observado, permanece. Sentimos como se assistíssemos à nossa respiração, como se ela fosse separada de quem está observando. Assistimos a nossos pensamentos. Assistimos a nossos sentimentos, como se fossem uma entidade real aqui, um "eu" que executa as instruções, assiste e experimenta os resultados. Nunca sonhamos que possa haver observação sem um observador, até que, de maneira natural, sem forçar, entramos em observação, atenção, apreensão, conhecimento. Em outras palavras, até que entramos em consciência. Quando isso acontece, mesmo pelo mais breve dos momentos, pode haver uma experiência de separação total entre sujeito e objeto evaporando. Há conhecimento sem conhecedor, visão sem quem vê, pensamento sem pensador, mais como um fenômeno impessoal meramente se desdobrando em consciência. A plataforma de visão centrada no eu, e, portanto, autocentrada das formas mais básicas, se dissolve quando de fato descansamos na consciência, no conhecimento em si. É simplesmente uma propriedade de consciência e da mente, assim como é do espaço. Não quer dizer que já não somos uma pessoa, só que as fronteiras e o repertório de ser uma pessoa se expandiram drasticamente e já não são limitados pela separação que convencionalmente habitamos, de que há eu aqui e o mundo ali, e tudo é centrado em mim como agente, observador, até meditador.

A visão mais ampla, menos auto-orientada, emerge quando nos aventuramos para além das fronteiras convencionais de nossos cinco sentidos na paisagem, ou, devo dizer, "paisagem-espaço" ou "paisagem-mente" da consciência em si – em outras palavras, consciência "pura". É algo que todos já experimentamos em um grau ou outro em algum momento, embora breve, mesmo que nunca tenhamos estado envolvidos com a meditação em sentido formal. No entanto, o grau em que podemos habitar uma consciência não dual, sem objeto, sem sujeito (em que já não há um "nós" que "habita" nada), aumenta conforme nos entregamos francamente à atenção. Também pode ser revelado a nós de repente, quando as condições estão favoráveis, muitas vezes catalisado por dor intensa ou, mais raramente, por alegria intensa. A centralidade no eu se desfaz, já não há mais centro nem periferia na consciência. Há simplesmente saber, ver, sentir, pensar, sentir.

Já experimentamos a falta de fronteiras da consciência nas ocasiões em que somos capazes de suspender nosso ponto de vista momentaneamente e ver do ponto de vista de outra pessoa, sentir com ela. Chamamos esse sentimento de empatia. Se estivermos ensimesmados demais e envolvidos demais em nossa própria experiência a qualquer momento, não conseguiremos mudar nossa perspectiva dessa forma nem pensaremos em tentar fazer isso. Quando estamos preocupados demais conosco, quase não há consciência de domínios completos da realidade em que podemos estar imersos todos os dias, mas que, mesmo assim, afetam e influenciam nossa vida de maneira contínua. Nossas emoções, e em especial as emoções intensamente aflitivas que "nos carregam", como raiva, medo e tristeza, podem facilmente nos cegar para a imagem ampla do que de fato acontece com outros e dentro de nós.

Essa inconsciência tem suas consequências inevitáveis. Por que, às vezes, ficamos tão surpresos quando as coisas dão errado num relacionamento quando nosso próprio egocentrismo talvez estivesse cortando o oxigênio durante anos, ao mesmo tempo nos impedindo de ver e saber o que estava bem debaixo de nosso nariz o tempo todo?

Como a consciência, à primeira vista, parece ser uma experiência subjetiva, é difícil não pensarmos que somos o sujeito, o pensador, aquele que sente, que vê, que faz e, assim, o centro do universo, o centro do campo de nossa consciência. Percebendo isso, levamos tudo no universo, pelo menos no nosso universo, para o lado pessoal.

A consciência parece expandir em todas as direções a partir de um centro localizado dentro de nós. Portanto, parece que é "minha" consciência, mas é um truque pregado por nossos sentidos, assim como a sensação de que tudo no universo existe em relação a nossa localização, porque, por acaso, estamos aqui olhando para fora. De certa forma, talvez a consciência *esteja* centrada em nós, no sentido de que somos um nódulo localizado de receptividade. De formas mais fundamentais, ela não está. A consciência não tem centro nem periferia, como o próprio espaço.

A consciência também não é conceitual até que o pensamento separe a experiência em sujeito e objeto. É vazia e, portanto, pode conter tudo, inclusive o pensamento. É sem fronteira. Acima de tudo, é incrivelmente sábia.

Os tibetanos chamam essa qualidade fundamental do saber de "essência da mente". Neurocientistas cognitivos a chamam de senciência. Como vimos, ninguém a compreende. De algumas formas, sabemos que ela depende dos neurônios, da arquitetura do cérebro e do número infinito de conexões neurais, pois é possível perdê-la com certos tipos de danos cerebrais e porque os animais também parecem tê-la, em níveis variados. De outras formas, podemos só descrever as propriedades necessárias de um receptor, as quais nos permitem explorar um campo de potencialidade que já estava aqui, pois o próprio fato de nossa consciência significa que esse potencial estava aqui, não importa o que já "começo" signifique.

Em outras palavras, saber sempre foi possível, pois, de outra forma, não estaríamos aqui para saber. É o chamado princípio antrópico, evocado por cosmólogos em seus diálogos sobre origens e possíveis universos múltiplos. Falando modestamente, somos pelo menos uma avenida que este universo desenvolveu para se conhecer, no grau em que isso seja possível, embora não haja vontade envolvida nem "necessidade" cósmica para evolução ou consciência.

Com essa herança, pode ser útil explorar as fronteiras aparentes de nosso autoconhecimento não como uma natureza separada, mas como uma expressão continuamente integrada dela. Que maior aventura pode haver do que adentrar no campo da consciência, da própria senciência? Só porque a ciência sugere que nossa consciência – como diz Steven Pinker em seu livro *Como a mente funciona*, "a coisa mais inegável que existe" [embora não seja uma coisa] – pode estar para sempre além de nossa compreensão conceitual, isso não deve nos deter, nem um pouco.

Pois há formas de conhecer que vão além do conceito e algumas que vêm antes do conceito. Quando a consciência experimenta a si mesma, novas dimensões de possibilidade se abrem.

Podemos aumentar drasticamente a probabilidade de a consciência experimentar a si mesma pelo cultivo intencional de *mindfulness*, aprendendo a prestar atenção não conceitualmente e sem julgar, como se aquilo fosse realmente importante – porque é.

Vazio

Não sou Ninguém! Quem é você?
Ninguém – Também?
Então somos um par?
Não conte! Podem espalhar!

Que triste – ser – Alguém!
Que pública – a Fama –
Dizer seu nome – como a Rã –
Para as almas da Lama!

EMILY DICKINSON[18]

Um rabino, durante os serviços de fim de ano, foi tomado por uma sensação de unidade e conexão com o universo e com Deus. Transportado para um repentino estado de êxtase,

---

18 Tradução de Augusto de Campos. In: *Emily Dickinson*: não sou ninguém – poemas. Campinas: Unicamp, 2008. [N. E.]

exclamou: "Ó, Deus, sou teu servo. És tudo, eu não sou nada". O cantor das preces, profundamente tocado, exclamou por sua vez: "Ó, Deus, não sou nada". Então, ouviram o zelador da sinagoga, ele mesmo profundamente tocado, exclamar: "Ó, Deus, não sou nada". E o rabino se inclinou para o cantor e sussurrou: "Olha quem está achando que não é nada".

E assim é em nossas tentativas perpétuas de nos definir como alguém, em vez de ninguém, talvez suspeitando, lá no fundo, de que de fato não somos ninguém e que nossa vida, independentemente de nossas conquistas, é construída sobre areia movediça, sem fundação firme ou talvez sem chão algum. Robert Fuller, numa bela análise no livro *Somebodies and Nobodies* [Alguéns e ninguéns], vê essa tensão em nós e entre nós como força motivadora fundamental por trás dos males sociais e políticos da violência, racismo, machismo, fascismo, antissemitismo e preconceito de idade, que são pragas do mundo. A solução dele? O que chama de "dignitarianismo", ou seja, que tratemos todos como tendo a mesma dignidade fundamental que transcende sua posição e suas conquistas, que são, ele argumenta de forma convincente – bem como afirma Jared Diamond em *Guns, Germs, and Steel* [Armas, germes e aço] –, em grande parte mais uma questão de acidente, oportunidade e geografia do que qualquer outra coisa. Jonathan Mann, que pesquisava saúde pública e aids em Harvard e morreu na queda do voo 111 da Swissair na costa da Nova Escócia, era um defensor incansável do papel da dignidade na criação e sustentação da saúde em todos os níveis. Ele escreveu: "Danos à dignidade individual e coletiva podem representar uma força patogênica até então não reconhecida, com uma capacidade destrutiva do bem-estar físico, mental e social equivalente à de vírus ou bactérias". Palavras poderosas.

Nós, seres humanos, somos de fato geniais, e o que mais queremos, e o que mais exige proteção, parece, é nossa dignidade fundamental. "No fim", escreve Fuller, "aquilo de que as pessoas mais precisam e o que mais querem não é dominar os outros, mas ser reconhecidas por eles". É um pensamento interessante. Diamond, sem dúvida, discordaria, dada a história eternamente repetida de dominação das culturas mais tecnologicamente avançadas sobre as menos tecnicamente avançadas.

Apesar de todo o nosso desejo de reconhecimento, de sermos vistos, conhecidos e aceitos como somos e de que isso seja reconhecido como um direito humano básico, podemos muito facilmente nos prender a nosso pensamento limitado e egocêntrico, mesmo quando é o chamado pensamento "espiritual" – talvez, em especial quando é o chamado pensamento espiritual. No processo, podemos desvirtuar e trair o que mais conhecemos, o que mais somos e o que mais queremos. Pois pensar, não importa que tipo de pensamento seja, ainda é só pensar.

Quem de fato pensamos que somos? "Olha quem está achando que não é nada!" E *o que* pensamos que somos? São perguntas que evitamos. Evitamos colocar toda a nossa inteligência nessas questões, embora sejam as mais importantes. Preferimos construir uma história que enfatize algum aspecto do eu como entidade permanente, mesmo se a chamarmos de "ninguém" ou "nada", e então nos apegamos a ela e nos sentimos mal por ela, embora saibamos que não a somos de verdade; preferimos isso a investigar a natureza misteriosa do ser para além de nosso nome, nossa aparência, nossos papéis, nossa conquista, nossos privilégios, reconhecidos e não reconhecidos, e nossas construções mentais inveteradas. O hábito de criar histórias sobre nós mesmos que, examinadas, só são parcialmente verdadeiras, verdadeiras só até certo ponto, torna difícil alcançar a paz de espírito, pois sempre há a sensação de que não somos totalmente quem achamos que somos.

Talvez tenhamos medo de sermos menos do que pensamos, quando a realidade é que somos muito, muito mais.

Se achamos que somos alguém, não importa quem, estamos enganados. E se achamos que não somos ninguém, estamos igualmente enganados. Como poderia ter dito Soen Sa Nim:

— Se você diz que é alguém, está apegado a nome e forma, então vou bater trinta vezes em você. Se você diz que não é ninguém, está apegado ao vazio, então vou bater trinta vezes em você. O que você pode fazer?

Talvez o problema aqui seja o pensamento.

Joko Beck, uma querida professora norte-americana de zen e amiga que morreu aos 94 anos em 2011, abriu seu livro *Nothing Special* [Nada de especial] com uma imagem que enfatiza o caráter transitório e fugidio de nossa vida como entidades individuais no fluxo mais amplo da vida:

> Somos como redemoinhos no rio da vida. Ao fluir, um rio ou um córrego pode bater em pedras, galhos ou irregularidades no solo, fazendo redemoinhos surgirem espontaneamente aqui e ali. A água entrando em um redemoinho atravessa-o rapidamente e se junta outra vez ao rio, acabando por entrar em outro redemoinho e seguir em frente. Embora, por curtos períodos, isso pareça distinguível como acontecimento separado, a água nos redemoinhos é o próprio rio. A estabilidade de um redemoinho é só temporária [...]. Nós, porém, queremos pensar que esse pequeno redemoinho que somos não faz parte do córrego. Queremos nos ver como permanentes e estáveis. Toda a nossa energia vai para proteger nossa suposta separação. Para proteger essa separação, criamos fronteiras artificiais, fixas; como consequência, acumulamos excesso de bagagem, coisas que entram em nosso redemoinho e não saem. Então, as coisas entopem nosso redemoinho, e o processo fica bagunçado [...]. Redemoinhos próximos podem receber menos água por causa de nosso apego frenético [...].

Há benefício e liberdade significativos em nos permitirmos reconhecer como o processo da vida é impessoal e como imediatamente, por medo e sem pensar, o reificamos no pessoal, de uma forma meio absolutista, e então nos prendemos dentro de fronteiras limitantes que são criação nossa, nada mais. Somos uma cultura de substantivos. Transformamos coisas em coisas e fazemos o mesmo com não coisas, como redemoinhos e consciência, e com quem somos. É aí que, de maneira involuntária, nos apegamos a nome e forma. Precisamos cuidar, acima de tudo, de nossa relação com os pronomes pessoais. Senão, automaticamente levaremos as coisas para o lado pessoal, quando elas não são nada disso, e, no processo, perderemos ou nos equivocaremos sobre o que elas realmente são.

Como vimos no capítulo "Sem apego", Buda certa vez disse que todos os seus ensinamentos podiam ser condensados em uma frase: "Nada deve se prender a 'eu', 'mim' ou 'meu'". Isso levanta imediatamente a questão de identidade e autoidentificação e nosso hábito de reificação, que é concretizar, transformar o pronome pessoal num "eu" absoluto e não examinado e, então, viver dentro daquela "história do eu" pela vida toda, sem investigar sua precisão ou sua completude. No budismo, essa reificação é vista como raiz de todo sofrimento, ilusão e emoções aflitivas, uma identificação incorreta da totalidade do ser com a narrativa limitada que colocamos no pronome pessoal. Essa identificação ocorre sem percebermos nem questionarmos sua precisão. No entanto, podemos aprender a vê-la e a ver por trás dela uma verdade mais profunda, uma maior sabedoria disponível a todo momento.

*

Esse vazio de um lócus sólido e duradouro que possamos identificar e com que possamos nos identificar como eu se aplica a uma série de processos, de política a negócios a nossa própria biologia. Veja um exemplo de negócios. "O mais importante", dizem frequentemente empresários, "é o processo, não o produto". "Cuide do processo, e o produto cuidará de si mesmo", o que significa, suponho, que um bom produto emergirá de um processo que mantenha o essencial em mente em vários níveis.

Outra forma de dizer isso, nos negócios, é que você precisa ter em mente qual é o seu negócio. O exemplo-padrão da escola de administração: seu negócio é aviação ou é transportar as pessoas com segurança e felizes para onde elas querem ir? O primeiro tende a focar em limitações dos aviões, cronogramas, segurança, e assim por diante, e acabar com várias desculpas sobre por que a qualidade do serviço e o fluxo de informação para os clientes é muitas vezes deplorável. O segundo pode, sutil ou não tão sutilmente, mudar como se veem os obstáculos à satisfação do cliente e mobilizar maneiras criativas de aproveitar os recursos (ou seja, os aviões, os balcões de check-in, o despacho de bagagem, o cronograma, todos os funcionários) para cumprir a missão por meio de um processo mais eficiente, competitivo e lucrativo. Em todo caso, é um lembrete de que o processo está intimamente ligado ao produto, ao resultado ou à dinâmica. No fim das contas, como dizem, são as pessoas que fazem o negócio. No entanto, seja no mundo corporativo seja em organizações não governamentais, ainda é necessário ter um plano de negócios, e ele tem de ser bom. Isso se aplica a todo e qualquer negócio.

Ainda assim, é difícil apontar o que é o "negócio". De certa forma, não são os empregadores, não são os empregados, não são os fornecedores, não são os consumidores, não são os produtos. É todo o processo interativo, que se transforma continuamente. Você não vai encontrar "o negócio" em nenhuma de suas partes. Ele é vazio de existência inerente, seria possível dizer. E, mesmo assim, quando funciona, funciona. No nível convencional, esse processo, que, na essência, é vazio de autoexistência, pode fazer as coisas acontecerem, melhorar a vida das pessoas, ser negociado na bolsa de valores. Mas pode ser um processo mais saudável se todos os aspectos do negócio, incluindo seu vazio intrínseco, forem considerados com consciência como apropriados.

Para usar um exemplo biológico, a própria vida também é um processo – e bem mais complexo que uma empresa de aviação ou qualquer outro negócio. Veja seu corpo. Os mais ou menos 30 trilhões de "empregados" – as células (para não falar das mais ou menos 60 trilhões de bactérias que formam o microbioma que coloniza seu corpo) – estão continuamente em processo, cada um, com sorte e incrivelmente, fazendo o que deve fazer, de modo que as células ósseas não acham que são células do fígado, e as células cardíacas não acham que são células nervosas ou células do rim, embora, se fossem fazer os outros "trabalhos", todas tenham o potencial, o mapa e os conjuntos de instruções guardados em algum lugar nas "pilhas" de bibliotecas de cromossomo. O engraçado, porém, é que, se paramos para pensar por um minuto, em termos estritos nenhum desses trilhões de cidadãos do seu corpo trabalha para "você". É tudo bastante impessoal. Suas células fazem o que fazem seguindo sua natureza como determinada no código genético e na continuidade histórica da vida baseada em células, desde os primórdios.

O que acreditamos ser nossa pessoalidade única é, misteriosamente, o produto desse processo, assim como qualquer empresa é produto de suas próprias energias, processos e resultados. Nosso corpo e a saúde dele, nossa senciência, nossas emoções, tudo isso depende intimamente de nossa bioquímica: nossos canais de íon, transporte axonal, síntese e degradação de proteína, catálise e metabolismo enzimáticos, replicação e reparo de DNA, regulação da divisão celular e da expressão de gene, imunovigilância feita por macrófagos e linfócitos, morte celular geneticamente programada e altamente regulada (termo técnico, apoptose) e produção de anticorpos para neutralizar e dispersar conjuntos e estruturas que o corpo nunca viu antes e podem ser prejudiciais. A lista de processos celulares complexos e sua integração perfeita numa sociedade que chamamos de organismo vivo é longa e, mesmo hoje, apesar de tudo o que sabemos, está longe de ser completa.

E esse processo, quando examinado profundamente, também é, de alguma maneira, vazio de identidade fixa, duradoura. Não há nele "nós" nem "alguém" a ser identificado, não importa quanto examinemos. Não estamos em nossos ribossomos nem em nossas mitocôndrias, nem em nossos ossos ou nossa pele, nem em nosso cérebro, embora nossa experiência interagindo com o mundo dependa de um nível mínimo de funcionamento e coerência de tudo isso, em níveis que ainda temos dificuldade de imaginar, apesar de toda a nossa precocidade e genialidade científica.

Também não somos nossos olhos. Sabe-se muito sobre visão, mas não compreendemos como criamos o mundo em que vivemos a partir da luz que entra em nossos olhos. Temos uma experiência do céu sendo azul num dia claro, mas não há "azul" a ser encontrado nem na luz daquele comprimento de onda em particular nem na retina, nos nervos óticos ou no córtex occipital, que é o centro visual do cérebro. Ainda assim, experimentamos o céu, instantaneamente, como azul. De onde vem a experiência do "azul"? Como ela surge?

Não sabemos. É um mistério, assim como todos os outros fenômenos que emergem por meio de nossos sentidos, incluindo nossa mente e nossa sensação de ser um eu que existe separadamente. Nossos sentidos constroem um mundo e nos situam dentro dele. Esse mundo construído, em geral, tem alto grau de coerência e um sentido forte de haver alguém que percebe e o que quer que seja percebido, alguém que pensa e o que quer que seja pensado, alguém que sente e o que quer que seja sentido. Tudo são processos impessoais e, se é possível dizer que há um produto, ele não pode ser encontrado nas partes.

É claro, somos uma das soluções evolutivas para habitar o planeta de forma bem-sucedida como espécie. Assim como as aranhas e as minhocas e os sapos. Somos todos bem adaptados aos desafios de viver segundo nossa inteligência, não meramente segundo nossos instintos, embora essa ideia não sirva nem um pouco para denegrir nossos instintos. Temos polegares opositores, e um andar bípede ereto que deixa nossas mãos livres para pegar coisas e fabricar ferramentas e engenhocas. Também é relevante que tenhamos à disposição pensamento e consciência, ao menos como capacidades inerentes a ser refinadas e usadas para propósitos múltiplos em condições que mudam rapidamente.

Cientistas chamam essas características de *fenômenos emergentes*. Ursula Goodenough, brilhante bióloga e professora da Washington University, fala de modo inteligente sobre elas como "algo mais que vem de nada demais". Propriedades emergentes são exatamente isso. A princípio, formas e padrões que surgem da complexidade do processo em si. Não são atribuíveis a partes individuais do processo, mas às interações entre as partes. E não são previsíveis em detalhes. Estão no que se chama "fronteira do caos". Sem complexidade, sem caos, teríamos um sistema ordenado e previsível demais, como uma pedra ou um corpo há muito morto. Com um grau de caos muito alto num sistema dinâmico, teríamos desordem, desregulação, "des-compasso" e sintomas dessa desregulação, como fibrilação atrial ou ataques de pânico. Há uma falta de coerência ou ordem geral. No meio disso, estão as coisas interessantes.

Um sistema vivo, dinâmico, à beira do caos, está sempre, bem... à beira do caos, conjurando o que parece, de certa forma, um equilíbrio delicado e, de outra, um processo incrivelmente robusto, com uma ordem própria complexa e em mutação contínua, que o mantém relativamente estável. Pense em um rinoceronte, uma forma de vida ameaçada de extinção iminente. Que manifestação extraordinária, tão adaptada a seu ambiente, quando este não havia sido ameaçado por forças além de seu controle. Sua própria existência, o equilíbrio dinâmico e a complexidade de processos de vida impessoais, o mistério do todo, sua forma e sua função fazendo surgir algo além da forma e da função, a emergência da senciência, da mente do rinoceronte, vivendo dentro de sua própria coerência em seus próprios termos, inserido nele por completo e totalmente integrado em seu próprio mundo natural, mas vazio de qualquer existência inerente como entidade isolada, um "redemoinho" no fluxo da vida. É isso que torna a vida tão interessante. E, podemos adicionar, sagrada. E importante de ser protegida e honrada.

Fenômenos emergentes não estão restritos a sistemas vivos. O xadrez, em essência, não é as peças ou os movimentos, mas o que emerge quando jogadores altamente qualificados interagem com as regras do jogo. Conhecer as regras não lhes dá o xadrez. O xadrez é experimentado no ato de jogar, quando você realmente conhece aquele universo por meio da imersão e da troca de mentes, de um conjunto de regras acordado previamente, do tabuleiro e das peças, da possibilidade de aprendizado. Nada disso sozinho é xadrez. Tudo é necessário para que o jogo aconteça. O mesmo vale para o beisebol ou qualquer outro esporte. Amamos ver o que emerge, várias e várias vezes, e mais várias, pois nunca se sabe. É por isso que o jogo tem de ser *jogado*.

O Sutra do Coração, cantado por budistas maaianas em todo o mundo, entoa:

> A forma não difere do vazio, o vazio não difere da forma. O que é forma é vazio, o que é vazio, forma. O mesmo é verdade para sentimentos, percepções, impulsos, consciência.

As pessoas podem se assustar ao ouvir uma coisa dessas, podem pensar que é niilista. No entanto, não é. Vazio quer dizer ausência de autoexistência inerente; em outras palavras, que nada, nenhuma pessoa, nenhum negócio, nenhuma nação, nenhum átomo existe em si mesmo como uma entidade duradoura, isolada, absoluta, independente de tudo o mais.

Nada! Tudo emerge do jogo complexo de causas e condições particulares que estão sempre em transformação.

Essa é uma tremenda percepção sobre a natureza da realidade. E foi descoberta muito antes da física quântica e da teoria da complexidade, por meio de práticas meditativas diretas e não conceituais, não de pensamento ou mera filosofia.

Pense nisto. Aquele carro novo com que você está tão animado. Um redemoinho, nada mais. Vazio. Logo estará na pilha de lixo. Nesse meio-tempo, deve-se desfrutar dele, mas não se apegar. O mesmo vale para nosso corpo. E para outras pessoas. Damos tanto valor às pessoas, as reificamos como divindades ou demônios, nos contamos grandes histórias ou pequenas histórias sobre seus triunfos ou suas tragédias, as dividimos em alguéns e ninguéns, mas elas e todos nós logo vamos embora, apesar de todo o problema que causamos ou da beleza que geramos para o mundo. As grandes questões de ontem, hoje, são nada. As grandes questões de hoje, amanhã, serão nada. Isso não quer dizer que elas não foram ou que não são importantes. Aliás, podem ser muito mais importantes do que somos capazes de conceber. Portanto, precisamos ser ultracuidadosos para não as transformar em uma espécie de estímulo insensível para ser consumidas só pelo pensamento. Se percebemos o vazio das coisas, perceberemos simultaneamente sua gravidade, sua completude, sua interconectividade, e isso pode nos fazer agir com maior propósito e integridade – e talvez também com maior sabedoria em nossa vida privada, na criação de nossas políticas nacionais e em nossa conduta como corpo político no palco mundial.

De fato, é útil reconhecer o vazio intrínseco do que pode parecer uma autoexistência duradoura em todo e qualquer fenômeno e a todo e qualquer momento. Isso pode nos libertar, individual e coletivamente, de nosso apego a interesses e desejos egocêntricos e mesquinhos e, por fim, de todo apego. Também pode nos libertar de ações egocêntricas e mesquinhas, impulsionadas com tanta frequência por percepções insensatas ou até equivocadas do que ocorre nas paisagens de dentro ou de fora. Isso não sugere qualquer tipo de passividade ou imobilidade moral, mas, sim, uma consciência sábia e compassiva que mantém em mente o vazio inerente da não existência e não tem medo de agir vigorosa e francamente com essa compreensão e ver o que acontece.

O vazio está intimamente ligado à plenitude. Vazio não quer dizer um vão sem sentido, uma ocasião para niilismo, passividade e desespero nem abandono de valores humanos. Pelo contrário, o vazio é plenitude, significa plenitude, permite a plenitude, é o "espaço" invisível, intangível, dentro do qual acontecimentos discretos podem emergir e se desdobrar. Sem vazio, sem plenitude. É simples assim. O vazio aponta para a interconectividade de todas as coisas, processos e fenômenos. O vazio permite uma ética verdadeira, baseada na reverência pela vida e no reconhecimento da interconectividade de todas as coisas e da insensatez de forçar as coisas a se encaixarem nos modelos mesquinhos e míopes de maximizar sua própria vantagem, quando não há duração fixa para que você se beneficie disso – não importa se "você" se refere a um indivíduo ou a um país.

O sutra segue:

> Sem olhos, sem ouvidos, sem nariz, sem língua, sem corpo, sem mente, sem cor, sem som, sem cheiro, sem gosto, sem toque, sem objeto da mente, sem o reino da visão e assim por diante até que não haja reino da consciência da mente.

Olha o que ele está fazendo com os sentidos, com nossos portais para conhecer o mundo!

Está nos lembrando de que nenhum de nossos sentidos e nada do que é sentido tem uma existência independente absoluta. Tudo é parte de um tecido mais amplo de causas e acontecimentos costurados juntos. Precisamos desse lembrete várias vezes para quebrar ou pelo menos questionar o hábito persistente de acreditar que a aparência das coisas é a realidade.

> Sem a ignorância e sem a extinção dela, e assim por diante, até que não haja velhice nem morte, tampouco a extinção delas.

Aqui, o sutra nos lembra de que todos os nossos conceitos são vazios de existência intrínseca, incluindo nossas visões de nós mesmos e nossas possibilidades de melhorar e transcender qualquer coisa. Ele aponta para o não dual, para além de qualquer pensamento, para além de todos os conceitos limitantes, inclusive todos os ensinamentos budistas, que aqui, e nas linhas que se seguem, são citados de forma explícita como não tendo existência intrínseca:

> Sem sofrimento, sem origem, sem parada, sem caminho, sem cognição, sem também qualquer apego a nada a ser conquistado.

As Quatro Nobres Verdades, o Caminho Óctuplo... tudo jogado pela janela. Mas, ainda assim,

> o bodisatva depende do prajnaparamita, e a mente não é impedimento; sem qualquer impedimento, não existe medo. Muito além de qualquer visão pervertida, ela habita o nirvana.
> Nas três palavras, todos os budas dependem do Prajnaparamita e atingem o Anuttara Samyak Sambodhi.

Quando reconhecemos, lembramos e incorporamos, na maneira como sustentamos o momento e na forma como vivemos, o sutra diz que todas as conquistas são possíveis. Esse é o presente do vazio, a prática do não dual, a manifestação do prajnaparamita, da suprema sabedoria perfeita. E já o temos. Só é necessário o ser. Quando reconhecemos que já o somos, então a forma é forma e o vazio é vazio. E a mente já não está apegada a nada. Já não está autocentrada. Está livre.

*

Eu disse para a criatura que anseia em mim:
O que é esse rio que deseja atravessar?
Não há viajantes na estrada-rio e não há estrada.
Não há mesmo rio, nem barco, nem barqueiro.
Não há corda nem ninguém para puxá-la.
Não há solo, nem céu, nem tempo, nem banco, nem baixio!

E não há corpo nem mente!
Acredita que há algum lugar que deixará a alma menos sedenta?
Nessa grande ausência, não encontrará nada.

Seja forte, então, e entre em seu próprio corpo;
lá, terá um lugar sólido para seus pés.
Pense nisso cuidadosamente!
Não vá embora para outro lugar!

Kabir diz isto: só jogue fora todos os pensamentos de coisas imaginárias e fique firme naquilo que você é.

KABIR
TRADUZIDO COM BASE NA VERSÃO EM INGLÊS DE ROBERT BLY

"Não há colher." Frase do filme *Matrix*

Você vive em ilusões e na aparência das coisas.
Há uma realidade, você é a realidade.
Quando reconhecer isso, perceberá que não é nada e, sendo nada, você é tudo. É só isso.

KALU RINPOCHE, LAMA TIBETANO

Agradecimentos

Como a origem destes quatro volumes é antiga, há muita gente a quem eu gostaria de expressar minha gratidão e dívida por diversas contribuições em várias fases da escrita e publicação destes livros.

Para o volume inicial, publicado em 2005, gostaria de agradecer a meu irmão de darma Larry Rosenberg, do Cambridge Insight Meditation, além de Larry Horwitz e de meu sogro, o falecido Howard Zinn, por lerem todo o manuscrito à época e compartilharem seus *insights* criativos e precisos comigo. Obrigado também a Alan Wallace, Arthur Zajonc, Doug Tanner, Richard Davidson e a Will Kabat-Zinn e Myla Kabat-Zinn, por lerem partes do manuscrito e me darem seus conselhos e *feedback* sábios. Também agradeço ao *publisher* original, Bob Miller, e ao editor original Will Schwalbe, ambos hoje na Flatiron, por seu apoio e amizade, antes e agora.

Agradecimento, gratidão e dívida profunda em relação a minha editora dos quatro volumes novos, Michelle Howry, editora-executiva da Hachette, e a Lauren Hummel e toda a equipe da Hachette que trabalhou de forma tão cooperativa e eficiente nesta série. Trabalhar com você, Michelle, foi um prazer absoluto a cada passo desta aventura. Agradeço demais pelo coleguismo gentil, por seu cuidado e sua atenção aos detalhes de alta resolução em todos os aspectos e por você ter mantido habilmente no caminho certo todas as peças que se movem neste projeto.

Embora eu tenha recebido apoio, encorajamento e conselho de muita gente, é claro que quaisquer imprecisões ou falhas no texto são de minha responsabilidade.

Desejo expressar gratidão e respeito a todos os meus colegas professores, do passado e do presente, na clínica de redução do estresse, no CFM e, mais recentemente, também a todos os professores e pesquisadores da rede global de instituições afiliadas. Todos dedicaram sua vida e sua paixão a esta obra. À época do livro original, os que tinham ensinado MBSR na clínica de redução do estresse por períodos variados desde 1979 até 2005 foram Saki Santorelli, Melissa Blacker, Florence Meleo Meyer, Elana Rosenbaum, Ferris Buck Urbanowski, Pamela Erdmann, Fernando de Torrijos, James Carmody, Danielle Levi Alvares, George Mumford, Diana Kamila, Peggy Roggenbuck-Gillespie, Debbie Beck, Zayda Vallejo, Barbara Stone, Trudy Goodman, Meg Chang, Larry Rosenberg, Kasey Carmichael, Franz Moekel, a falecida Ulli Kesper-Grossman, Maddy Klein, Ann Soulet, Joseph Koppel, a falecida Karen Ryder, Anna Klegon, Larry Pelz, Adi Bemak, Paul Galvin e David Spound.

Em 2018, minha gratidão e admiração aos professores atuais do CFM e seus programas afiliados: Florence Meleo--Meyers, Lynn Koerbel, Elana Rosenbaum, Carolyn West, Bob Stahl, Meg Chang, Zayda Vallejo, Brenda Fingold, Dianne Horgan, Judson Brewer, Margaret Fletcher, Patti Holland, Rebecca Eldridge, Ted Meissner, Anne Twohig,

Ana Arrabe, Beth Mulligan, Bonita Jones, Carola Garcia, Gustavo Diex, Beatriz Rodriguez, Melissa Tefft, Janet Solyntjes, Rob Smith, Jacob Piet, Claude Maskens, Charlotte Borch-Jacobsen, Christiane Wolf, Kate Mitcheom, Bob Linscott, Laurence Magro, Jim Colosi, Julie Nason, Lone Overby Fjorback, Dawn MacDonald, Leslie Smith Frank, Ruth Folchman, Colleen Camenisch, Robin Boudette, Eowyn Ahlstrom, Erin Woo, Franco Cuccio, Geneviève Hamelet, Gwenola Herbette e Ruth Whitall. Florence Meleo-Meyer e Lynn Koerbel têm sido líderes e cuidadoras da rede global de professores de MBSR.

Meu profundo apreço a todos os que contribuíram de forma tão crítica, de tantas maneiras diferentes, com a administração da Clínica de MBSR e do Centro de Mindfulness em Medicina, Saúde e Sociedade, igualmente com suas variadas pesquisas e empreitadas clínicas, desde o início: Norma Rosiello, Kathy Brady, Brian Tucker, Anne Skillings, Tim Light, Jean Baril, Leslie Lynch, Carol Lewis, Leigh Emery, Rafaela Morales, Roberta Lewis, Jen Gigliotti, Sylvia Ciario, Betty Flodin, Diane Spinney, Carol Hester, Carol Mento, Olivia Hobletzell, a falecida Narina Hendry, Marlene Samuelson, Janet Parks, Michael Bratt, Marc Cohen e Ellen Wingard; e, hoje, desenvolvendo uma plataforma robusta criada sob a liderança de Saki Santorelli por mais de dezessete anos, expresso minha gratidão à atual liderança de Judson Brewer, Dianne Horgan, Florence Meleo-Meyer e Lynn Koerbel, com apoio incrível de Jean Baril, Jacqueline Clark, Tony Maciag, Ted Meissner, Jessica Novia, Maureen Titus, Beverly Walton, Ashley Gladden, Lynne Littizzio, Nicole Rocijewicz e Jean Welker. Além de um profundo reconhecimento a Judson Brewer, médico, PhD que se tornou, em 2017, diretor-fundador da Divisão de Mindfulness no Departamento de Medicina da Faculdade de Medicina da Universidade de Massachusetts – a primeira divisão de *mindfulness* numa faculdade de medicina no mundo, um sinal e tanto dos tempos e da promessa do que está por vir.

No lado da pesquisa do CFM em 2018, muito reconhecimento à amplitude e profundidade do trabalho e das contribuições de: Judson Brewer, Remko van Lutterveld, Prasanta Pal, Michael Datko, Andrea Ruf, Susan Druker, Ariel Beccia, Alexandra Roy, Hanif Benoit, Danny Theisen e Carolyn Neal.

Por fim, também gostaria de expressar gratidão e respeito às milhares de pessoas em todos os lugares que trabalham com ou estão pesquisando abordagens baseadas em *mindfulness* em medicina, psiquiatria, psicologia, saúde, educação, lei, justiça social, cura de refugiados diante do trauma, às vezes, do genocídio (como em Darfur do Sul), parto e criação de filhos, local de trabalho, governo, prisões e outros âmbitos e que, assim, honram o darma em sua profundeza e beleza universais. Vocês sabem quem são, estejam aqui nomeados ou não! E, se não estiverem, é apenas devido às minhas falhas e aos limites de espaço. Quero explicitamente homenagear o trabalho de Paula Andrea Ramirez Diazgranados em Columbia e Darfur do Sul; Hui Qi Tong nos Estados Unidos e na China; Kevin Fong, Roy Te Chung Chen, Tzungkuen Wen, Helen Ma, Jin Mei Hu e Shih Shih Ming na China, em Taiwan e Hong Kong; Heyoung Ahn na Coreia; Junko Bickel e Teruro Shiina no Japão; Leena Pennenen na Finlândia; Simon Whitesman e Linda Kantor na África do Sul; Claude Maskens, Gwénola Herbette, Edel Max, Caroline Lesire e Ilios Kotsou na Bélgica; Jean-Gérard Bloch, Geneviève Hamelet, Marie-Ange Pratili e Charlotte Borch-Jacobsen na França; Katherine Bonus, Trish Magyari, Erica Sibinga, David Kearney, Kurt Hoelting, Carolyn McManus, Mike Brumage, Maureen Strafford, Amy Gross, Rhonda Magee, George Mumford, Carl Fulwiler, Maria Kluge, Mick Krasner, Trish Luck, Bernice Todres, Ron Epstein e o representante Tim Ryan nos Estados Unidos; Paul Grossman, Maria Kluge, Sylvia Wiesman-Fiscalini, Linda Hehrhaupt e Petra Meibert na Alemanha; Joke Hellemans, Johan Tinge e Anna Speckens na Holanda; Beatrice Heller e Regula Saner na Suíça; Rebecca Crane, Willem Kuyken,

John Teasdale, Mark Williams, Chris Cullen, Richard Burnett, Jamie Bristow, Trish Bartley, Stewart Mercer, Chris Ruane, Richard Layard, Guiaume Hung e Ahn Nguyen no Reino Unido; Zindel Segal e Norm Farb no Canadá; Gabor Fasekas na Hungria; Macchi dela Vega na Argentina; Johan Bergstad, Anita Olsson, Angeli Holmstedt, Ola Schenström e Camilla Sköld na Suécia; Andries Kroese na Noruega; Jakob Piet e Lone Overby Fjorback na Dinamarca; e Franco Cuccio na Itália. Que o trabalho deles continue a alcançar aqueles que mais precisam, tocando, esclarecendo e nutrindo o mais profundo e melhor em todos nós e, assim, contribuindo de formas pequenas e grandes para a cura e a transformação que a humanidade tanto almeja.

Leituras relacionadas

Meditação *mindfulness*

Analayo, B. Satipatthana. *The Direct Path to Realization*. Cambridge, Reino Unido: Windhorse, 2008.
Beck, C. *Nothing Special*: Living Zen. São Francisco: HarperCollins, 1993.
Buswell, R. B. Jr. *Tracing Back the Radiance*: Chinul's Korean Way of Zen. Honolulu: Kuroda Institute, U of Hawaii Press, 1991.
Goldstein, J. *One Dharma*: The Emerging Western Buddhism. São Francisco: HarperCollins, 2002.
_____. *Mindfulness*: A Practical Guide to Awakening. Boulder: Sounds True, 2013.
Hanh, T. N. *The Miracle of Mindfulness*. Boston: Beacon, 1976.
_____. *The Heart of the Buddha's Teachings*. Nova York: Broadway, 1998.
_____. *How to Sit*. Berkeley: Parallax, 2014.
_____. *How to Love*. Berkeley: Parallax, 2015.
Kapleau, P. *The Three Pillars of Zen*: Teaching, Practice, and Enlightenment. Nova York: Random House, 1965, 2000.
Krishnamurti, J. *This Light in Oneself*: True Meditation. Boston: Shambhala, 1999.
Ricard, M. *Why Meditate?* Nova York: Hay House, 2010.

Rosenberg, L. *Breath by Breath*: The Liberating Practice of Insight Meditation. Boston: Shambhala, 1998.
_____. *Living in the Light of Death*: On the Art of Being Truly Alive. Boston: Shambhala, 2000.
_____. *Three Steps to Awakening*: A Practice for Bringing Mindfulness to Life. Boston: Shambhala, 2013.
Salzberg, S. *Lovingkindness*. Boston: Shambhala, 1995.
_____. *Real Love*: The Art of Mindful Connection. Nova York: Flatiron, 2017.
Sheng-Yen, C. *Hoofprints of the Ox*: Principles of the Chan Buddhist Path. Nova York: Oxford University Press, 2001.
Suzuki, S. *Zen Mind, Beginner's Mind*. Nova York: Weatherhill, 1970.
Thera, N. *The Heart of Buddhist Meditation*: The Buddha's Way of Mindfulness. São Francisco: Red Wheel/Weiser, 1962, 2014.
Treleaven, D. *Trauma-Sensitive Mindfulness*: Practices for Safe and Transformative Healing. Nova York: W. W. Norton, 2018.
Tulku Urgyen. *Rainbow Painting, Rangjung Yeshe*. Nepal: Boudhanath, 1995.

MBSR

Brandsma, R. *The Mindfulness Teaching Guide*: Essential Skills and Competencies for Teaching Mindfulness-Based Interventions. Oakland, CA: New Harbinger, 2017.
Kabat-Zinn, J. *Full Catastrophe Living*: Using the Wisdom of Your Body and Mind to Face Stress, Pain, and Illness. Edição revisada e atualizada. Nova York: Random House, 2013.
Lehrhaupt, L.; Meibert, P. *Mindfulness-Based Stress Reduction*: The MBSR Program for Enhancing Health and Vitality. Novato, CA: New World Library, 2017.
Rosenbaum, E. *The Heart of Mindfulness-Based Stress Reduction*: An MBSR Guide for Clinicians and Clients. Eau Claire: Pesi, WI, 2017.
Santorelli, S. *Heal Thy Self*: Lessons on Mindfulness in Medicine. Nova York: Bell Tower, 1999.
Stahl, B.; Goldstein, E. *A Mindfulness-Based Stress Reduction Workbook*. Oakland, CA: New Harbinger, 2010.
Stahl, B., Meleo-Meyer, F.; Koerbel, L. *A Mindfulness-Based Stress Reduction Workbook for Anxiety*. Oakland, CA: New Harbinger, 2014.

Outras aplicações do *mindfulness*

Bardacke, N. *Mindful Birthing*: Training the Mind, Body, and Heart for Childbirth and Beyond. Nova York: Harper Collins, 2012.

Bartley, T. *Mindfulness*: A Kindly Approach to Cancer. West Sussex, Reino Unido: Wiley-Blackwell, 2016.

_____. *Mindfulness-Based Cognitive Therapy for Cancer*. West Sussex, Reino Unido: Wiley-Blackwell, 2012.

Bays, J. C. *Mindful Eating*: A Guide to Rediscovering a Healthy and Joyful Relationship with Food. Boston: Shambhala, 2009, 2017.

_____. *Mindfulness on the Go*: Simple Meditation Practices You Can Do Anywhere. Boston: Shambhala, 2014.

Biegel, G. *The Stress-Reduction Workbook for Teens*: Mindfulness Skills to Help You Deal with Stress. Oakland, CA: New Harbinger, 2017.

Brewer, Judson. *The Craving Mind*: From Cigarettes to Smartphones to Love — Why We Get Hooked and How We Can Break Bad Habits. New Haven: Yale, 2017.

Brown, K. W., Creswell, J. D.; Ryan, R. M. (eds.) *Handbook of Mindfulness*: Theory, Research, and Practice. Nova York: Guilford, 2015.

Carlson, L.; Speca, M. *Mindfulness-Based Cancer Recovery*: A StepbyStep MBSR Approach to Help You Cope with Treatment and Reclaim Your Life. Oakland, CA: New Harbinger, 2010.

Cullen, M.; Pons, G. B. *The Mindfulness-Based Emotional Balance Workbook*: An Eight-Week Program for Improved Emotion Regulation and Resilience. Oakland, CA: New Harbinger, 2015.

Epstein, R. *Attending: Medicine, Mindfulness, and Humanity*. Nova York: Scribner, 2017.

Germer, C. *The Mindful Path to Self-Compassion*. Nova York: Guilford, 2009.

Goleman, G.; Davidson, R. J. *Altered Traits: Science Reveals How Meditation Changes Your Mind, Brain, and Body*. Nova York: Avery/Random House, 2017.

Gunaratana, B. H. *Mindfulness in Plain English*. Somerville, MA: Wisdom, 2002.

Jennings, P. *Mindfulness for Teachers*: Simple Skills for Peace and Productivity in the Classroom. Nova York: W. W. Norton, 2015.

Kaiser-Greenland, S. *The Mindful Child*. Nova York: The Free Press, 2010.

McCown, D., Reibel, D. e Micozzi, M. S. (eds.) *Teaching Mindfulness*: A Practical Guide for Clinicians and Educators. Nova York: Springer, 2010.

_____. (eds.) *Resources for Teaching Mindfulness*: An International Handbook. Nova York: Springer, 2016.

Penman, D. *The Art of Breathing*. Newburyport, MA: Conari, 2018.

Rechtschaffen, *The Way of Mindful Education*: Cultivating Wellbeing in Teachers and Students. Nova York: W. W. Norton, 2014.

_____. D. *The Mindful Education Workbook*: Lessons for Teaching Mindfulness to Students. Nova York: W. W. Norton, 2016.
Rosenbaum, E. *Here for Now*: Living Well with Cancer Through Mindfulness. Hardwick, MA: Satya House, 2005.
_____. *Being Well (Even When You Are Sick)*: Mindfulness Practices for People with Cancer and Other Serious Illnesses. Boston: Shambhala, 2012.
Segal, Z. V., Williams, J. M. G.; Teasdale, J. D. *Mindfulness-Based Cognitive Therapy for Depression*: A New Approach to Preventing Relapse. 2. ed. Nova York: Guilford, 2013.
Teasdale, J. D., Williams, M.; Segal, Z. V. *The Mindful Way Workbook*: An Eight-Week Program to Free Yourself from Depression and Emotional Distress. Nova York: Guilford, 2014.
Williams, A. K., Owens, R.; Syedullah, J. *Radical Dharma*: Talking Race, Love, and Liberation. Berkeley: North Atlantic, 2016.
Williams, J. M. G. et al. *The Mindful Way Through Depression*: Freeing Yourself from Chronic Unhappiness. Nova York: Guilford, 2007.
Williams, M.; Penman, D. *Mindfulness*: An Eight-Week Plan for Finding Peace in a Frantic World. Rhodale, 2012.

Cura

Doidge, N. *The Brain's Way of Healing*: Remarkable Discoveries and Recoveries from the Frontiers of Neuroplasticity. Nova York: Penguin Random House, 2016.
Goleman, D. *Healing Emotions*: Conversations with the Dalai Lama on Mindfulness, Emotions, and Health. Boston: Shambhala, 1997.
Moyers, B. *Healing and the Mind*. Nova York: Doubleday, 1993.
Siegel, D. *The Mindful Brain*: Reflection and Attunement in the Cultivation of Well-being. Nova York: W. W. Norton, 2007.
Van der Kolk, B. *The Body Keeps the Score*: Brain, Mind, and Body in the Healing of Trauma. Nova York: Penguin Random House, 2014.

Poesia

Eliot, T. S. *Four Quartets*. Nova York: Harcourt Brace, 1943, 1977.
Lao-Tzu. *Tao Te Ching*. Trad. Stephen Mitchell. Nova York: HarperCollins, 1988.
Mitchell, S. *The Enlightened Heart*. Nova York: Harper & Row, 1989.

Oliver, M. *New and Selected Poems*. Boston: Beacon, 1992.
Tanahashi, K.; Leavitt, P. *The Complete Cold Mountain*: Poems of the Legendary Hermit, Hanshan. Boulder, CO: Shambhala, 2018.
Whyte, D. *The Heart Aroused*: Poetry and the Preservation of the Soul in Corporate America. Nova York: Doubleday, 1994.

Outros livros de interesse, alguns mencionados no texto

Abram, D. *The Spell of the Sensuous*. Nova York: Vintage, 1996.
Blackburn, E.; Epel, E. *The Telomere Effect*: A Revolutionary Approach to Living Younger, Healthier, Longer. Nova York: Grand Central, 2017.
Davidson, R. J.; Begley, S. *The Emotional Life of Your Brain*. Nova York: Hudson St., 2012.
Harris, Y. N. *Sapiens*: A Brief History of Humankind. Nova York: HarperCollins, 2015.
Katie, B.; Mitchell, S. *A Mind at Home with Itself*. Nova York: HarperCollins, 2017.
Luke, H. *Old Age*: Journey into Simplicity. Nova York: Parabola, 1987.
Montague, A. *Touching*: The Human Significance of the Skin. Nova York: Harper & Row, 1978.
Pinker, S. *How the Mind Works*. Nova York: W. W. Norton, 1997.
_____. *The Better Angels of Our Nature*: Why Violence Has Declined. Nova York: Penguin Random House, 2012.
_____. *Enlightenment Now*: The Case for Reason, Science, Humanism, and Progress. Nova York: Penguin Random House, 2018.
Ricard, M. *Altruism*: The Power of Compassion to Change Yourself and the World. Nova York: Little Brown, 2013.
Ryan, T. *A Mindful Nation*: How a Simple Practice Can Help Us Reduce Stress, Improve Performance, and Recapture the American Spirit. Nova York: Hay House, 2012.
Sachs, J. D. *The Price of Civilization*: Reawakening American Virtue and Prosperity. Nova York: Random House, 2011.
Sachs, O. *The Man Who Mistook His Wife for a Hat*. Nova York: Touchstone, 1970.
_____. *The River of Consciousness*. Nova York: Knopf, 2017.
Sapolsky, R. *Behave*: The Biology of Humans at Our Best and Worst. Nova York: Penguin Random House, 2017.
Tegmark, M. *The Mathematical Universe*: My Quest for the Ultimate Nature of Reality. Nova York: Random House, 2014.

Turkle, S. *Alone Together*: Why We Expect More from Technology and Less from Each Other. Nova York: Basic, 2011.

_____. *Reclaiming Conversation*: The Power of Talk in a Digital Age. Nova York: Penguin Random House, 2015.

Varela, F. J., Thompson, E.; Rosch, E. *The Embodied Mind*: Cognitive Science and Human Experience. Ed. rev. Cambridge, MA: MIT Press, 2016.

Wright, R. *Why Buddhism Is True*: The Science and Philosophy of Meditation and Enlightenment. Nova York: Simon & Schuster, 2017.

Websites

www.umassmed.edu/cfm	Center for Mindfulness, UMass Medical School
www.mindandlife.org	Mind and Life Institute
www.dharma.org	Centros de retiro de vipassana e agendas

Créditos e permissões (para os quatro livros originais desta série)

Basho, poema de três linhas "Old pond", traduzido para o inglês por Michael Katz, de *The Enlightened Heart: An Anthology of Sacred Poetry*, editado por Stephen Mitchell. Nova York: Harper & Row, 1989. Reproduzido com permissão do tradutor.

"Even in Kyoto", de *The Essential Haiku: Versions of Basho, Buson, and Issa*, traduzido para o inglês e editado por Robert Hass. Copyright © 1994 Robert Hass. Republicado com permissão de HarperCollins Publishers, Inc.

Sandra Blakeslee, trechos de "Exercising Toward Repair of the Spinal Cord", *The Sunday New York Times* (22 de setembro de 2002). Copyright © 2002 *The New York Times Company*. Republicado com permissão.

Buddha, trecho de *The Middle Length Discourses of the Buddha*, traduzido para o inglês por Bikkhu Nanamoi e Bikkhu Bodhi. Copyright © 1995 Bikkhu Nanamoi e Bikkhu Bodhi. Republicado com permissão da Wisdom Publications, 199 Elm Street, Somerville, MA 02144, USA, www.wisdompubs.org.

Chuang Tzu, trecho de "The Empty Boat", traduzido para o inglês por Thomas Merton, de *The Collected Poems of Thomas Merton*. Copyright © 1965 The Abbey of Gethsemani. Republicado com permissão da New Directions Publishing Corporation.

Definição de "senciente" do *American Heritage Dictionary of the English Language, Third Edition*. Copyright © 2000 Houghton Mifflin Company. Republicado com permissão da Houghton Mifflin Company.

Emily Dickinson, "I'm Nobody! Who are you?", "Me from Myself to banish" e trecho de "I dwell in possibility" de *The Complete Poems of Emily Dickinson*, editado por Thomas H. Johnson. Copyright © 1945, 1951, 1955, 1979, 1983 President and Fellows of Harvard College. Republicado com permissão da The Belknap Press of Harvard University Press.

T. S. Eliot, trechos de "Burnt Norton", "Little Gidding" e "East Coker" de *Four Quartets*. Copyright © 1936 Harcourt, Inc., renovado em © 1964 T. S. Eliot. Republicado com permissão da Harcourt, Inc. e da Faber and Faber Ltd.

Thomas Friedman, trechos de "Foreign Affairs; Cyber-Serfdom", *The New York Times* (30 de janeiro de 2001). Copyright © 2001 *The New York Times Company*. Republicado com permissão.

Goethe, trecho de *The Rag and Bone Shop of the Heart: Poems for Men*, editado por Robert Bly et al. Copyright © 1992 Robert Bly. Republicado com permissão da HarperCollins Publishers, Inc. Trecho de "The Holy Longing" de *News of the Universe* (Sierra Club, 1980). Copyright © 1980 Robert Bly. Republicado com permissão do tradutor.

Trechos do "Heart Sutra" de *Chanting with English Translations* (Cumberland, RI: Kwan Um Zen School, 1983). Republicado com permissão de The Kwan Um School of Zen.

Juan Ramon Jiménez, "Oceans" e "I am not I" de *Selected Poems of Lorca and Jiménez*, escolhidos e traduzidos para o inglês por Robert Bly (Boston: Beacon Press, 1973). Copyright © 1973 Robert Bly. Republicado com permissão do tradutor.

Kabir, trechos de *The Kabir Book: Forty-four of the Ecstatic Poems of Kabir*, versões de Robert Bly (Boston: Beacon, 1977). Copyright © 1977 Robert Bly. Republicado com permissão de Robert Bly.

Lao Tzu, trechos de *Tao Te Ching*, traduzido para o inglês por Stephen Mitchell. Copyright © 1988 Stephen Mitchell. Republicado com permissão da HarperCollins Publishers, Inc.

Antonio Machado, trecho de "The wind one brilliant day", traduzido para o inglês por Robert Bly, de *Times Alone: Selected Poems of Antonio Machado* (Middletown, CT: Wesleyan University Press, 1983. Copyright © 1983) Robert Bly. Republicado com permissão do tradutor.

Naomi Shihab Nye, "Kindness" de *Words Under the Words: Selected Poems.* (Portland, OR: Eighth Mountain, 1995). Copyright © 1995 Naomi Shihab Nye. Republicado com permissão da autora.

Mary Oliver, "The Summer Day" de *New and Selected Poems*. Copyright © 1992 Mary Oliver. Republicado com permissão da Beacon Press, Boston. "Lingering in Happiness" de *Why I Wake Early*. Copyright © 2004 Mary Oliver. Republicado com permissão da Beacon, Boston. "The Journey" de *Dream Work*. Copyright © 1986 Mary Oliver. Republicado com permissão da Grove/Atlantic, Inc.

Matt Richtel, trechos de "The Lure of Data: Is it Addictive?", *The New York Times* (6 de julho de 2003). Copyright © 2003 *The New York Times Company*. Republicado com permissão.

Rainer Maria Rilke, "My life is not this steeply sloping hour" de *Selected Poems of Rainer Maria Rilke.* (Nova York: Harper, 1981). Copyright © 1981 Robert Bly. Republicado com permissão do tradutor.

Jelaluddin Rumi, trecho ["*Outside, the freezing desert night./ This other night grows warm, kindling...*"], traduzido para o inglês por Coleman Barks com John Moyne, de *The Enlightened Heart: An Anthology of Sacred Poetry*, editado por Stephen Mitchell. (Nova York: Harper & Row, 1989). Copyright © 1989 Coleman Barks. "The Guest House" e trecho de "No Room for Form" de *The Essential Rumi*, traduzido para o inglês por Coleman Barks com John Moyne. Copyright © 1995 Coleman Barks. Trecho ["*Today like every other day/ We wake up empty and scared...*"] traduzido para o inglês por Coleman Barks (até então, inédito). Todos republicados com permissão de Coleman Barks.

Ryokan, poema traduzido para o inglês por John Stevens de *One Robe, One Bowl*. Copyright © 1977 John Stevens. Republicado com permissão da Shambhala Publications, Inc.

Antoine de Saint-Exupéry, trecho de *The Little Prince*. Copyright © 1943 Antoine de Saint-Exupéry. Republicado com permissão da Harcourt, Inc.

Seng Ts'an, trechos de *Hsin-hsin Ming: Verses on the Faith-Mind*, traduzido para o inglês por Richard B. Clarke. Copyright © 1973, 1984, 2001 Richard B. Clarke. Republicado com permissão da White Pine Press, Buffalo, NY.

William Stafford, "You Reading This, Be Ready" de *The Way It Is: New and Selected Poems*. Copyright © 1998 Estate of William Stafford. Republicado com permissão da Graywolf Press, St. Paul, MN. "Being a Person." Copyright © William Stafford. Republicado com permissão de Kim Stafford.

Tenzin Gyatso, trecho de *The Compassionate Life*. Copyright © 2001 Tenzin Gyatso. Republicado com permissão da Wisdom Publications.

Tung-Shan, trech ["*If you look for the truth outside yourself,/ It gets farther and farther away...*"], traduzido para o inglês por Stephen Mitchell, de *The Enlightened Heart: An Anthology of Sacred Poetry*, editado por Stephen Mitchell. Copyright © 1989 Stephen Mitchell. Republicado com permissão da HarperCollins Publishers, Inc.

Derek Walcott, "Love After Love" de *Collected Poems 1948-1984*. Copyright © 1986 Derek Walcott. Republicado com permissão da Farrar, Straus & Giroux, LLC.

David Whyte, "Sweet Darkness" de *Fire in the Earth*. Copyright © 1992 David Whyte. Republicado com permissão da Many Rivers Press, Langley, WA. "Enough" de *Where Many Rivers Meet*. Copyright © 2000 David Whyte. Republicado com permissão da Many Rivers Press, Langley, WA. Trecho de *Crossing the Unknown Sea: Work as a Pilgrimage of Identity*. Copyright © 2001 David Whyte. Republicado com permissão da Riverhead Books, um selo do Penguin Group (USA) Inc.

William Carlos Williams, trecho de "Asphodel, That Greeny Flower" (Book I) ["*My heart rouses/ thinking to bring you news/ of something/ that concerns you...*"] de *The Collected Poems of William Carlos Williams*, v. II, 1939-1962, editado por Christopher MacGowan. Copyright ©1944 William Carlos Williams. Republicado com permissão da New Directions Publishing Corporation.

William Butler Yeats, trechos de "Gratitude to the Unknown Instructors", "Sailing to Byzantium" e "Broken Dreams" de *The Poems of W. B. Yeats: A New Edition*, editado por Richard J. Finneran. Copyright © 1933 Macmillan Publishing Company, renovado © 1961 Georgie Yeats. Republicado com permissão da Simon & Schuster Adult Publishing.

Índice remissivo

Referências de páginas em itálico indicam citações ou citações de poesia.

"A revolução do *Mindfulness*", 66
11 de Setembro, ataques terroristas, 40, 204
abordagem instrumental da meditação, 98-99
abordagem não instrumental à meditação, 100-102, 153
ação sábia, 20
aceitação radical, 95
advocacia, programas de MBSR na, 64
Afeganistão, 38
alguém, ninguém *vs.*, 225-228
amor, ato radical do, 11-12, 123--125
andaimes
　descrição, 124, 133-140
　desmontar os, 141-142
　mapeamento e, 137-140
apegos, 83-86, 229
apontar a atenção, 112-116
apoptose, 231

Aristóteles, 78
Arte da felicidade, A (Dalai Lama), 85
artificial, inteligência, 216
ataques terroristas de 11 de Setembro, 40-204
atenção não sábia, 163
atenção parcial contínua, 207-212
atenção parcial, 207-212
atenção. *Ver também* TDA (transtorno do déficit de atenção); *mindfulness*
   apontar e sustentar, 112-116
   efeitos da cultura ocidental na, 190-193, 194-195, 210
   jornada da vida e, 33-34
   não sábia, 165
   parcial, 207-212
   prestar, importância de, 158-166
ato de amor radical, 11-12, 123-126
autoexistência, vazio intrínseco da, 230-235
autoilusão, 168-169
autopoiese, 135

Bardacke, Nancy, 64
bastão "zen", 70-71, 76
Beck, Joko
   Nothing Special, 228
bem-estar
   meditação para melhorar o, 174-178
   prestar atenção e, 161-165

Berry, Wendell, 23
biologia vazio e, 231-232
   andaimes na, 134-135
Boltzmann, Ludwig, 182
Boston Globe Sunday Morning, 64
Brown, Universidade, 68
Buda. *Ver também* budismo
   andaimes e, 133-134
   darma e, 182-184
   dukkha e, 168
   meditação e, 83, 85
   mindfulness e, 21, 49-50, 78, 150, 153
   reificação e, 229
   sem apegos e, 83-84
   sobre prestar atenção, 156
Budadarma. *Ver* darma
budismo tibetano (vajrayana), 119, 141, 152, 158, 223
budismo. *Ver também* Buda
   cultura ocidental e, 83-84
   darma e, 181
   dukkha e, 170-173
   e vazio, 237
   estados mentais não saudáveis e, 145
   mindfulness e, 49-52, 150, 152-153
   prestar atenção e, 161, 162
   reificação e, 229

Cahill, Thomas, 172
"caindo em nós", 23-24, 34-35, 73-74, 80, 81
cair em si, 23-24, 34-35, 73-74, 80, 81

calma, 143
Caminho Óctuplo, 184, 237
caos, 214-215, 233
Capela Sistina, 141
carma, 143
cegueira. *Ver*
Centro de Meditação Spirit Rock, 62
Centro de Mindfulness, Saúde e Sociedade (CFM), 47-48, 52, 65
Centro Médico da Universidade de Massachusetts, 14, 46, 57--58
Centro Osher de Medicina Integrada, 64
Centro Zen de Providence, 68
Centro Zen de San Francisco, 124n*
centro, para consciência, 220--221
centros médicos, programas de MBSR em, 61-66, 175-177
Chicago Bulls, 65
China, 21
Chomsky, Noam, 182
civilização, 217
Coming to Our Senses (Kabat-Zinn), 10, 16
compaixão, 19, 20, 31, 42, 52, 120, 144, 148, 163, 217
completude, 235170. *Ver também* vazio
conectividade 24 horas, 200-203
conectividade, 200-206
   atenção e, 159-166
conhecimento
   consciência como, 221-22
   de si, 179-180
consciência pura, 220-221
consciência. *Ver também mindfulness*
   como sexto sentido, 160
   descrição, 33-34
   e conectividade, 204
   intimidade com a capacidade de, 11-12
   liberdade e, 127-132
   momento presente e, 20-21
   no *mindfulness*, 151-152
   sem centro nem periferia, 220-224
contato, estar for a de, 159-160
Copérnico, Nicolau, 220
corpo político
   cura, 27-42
   descrição, 40
   (*Ver também* mundo) *mindfulness* no, 18
corpo, 34
   conexão com o próprio, 202--203
   perspectiva baseada no, 221
   prestar atenção ao, 162-165
criação de filhos, *mindfulness* e, 108
crianças
   engajamento social das, 192-193
   TDA nas, 198-199
cultura ocidental
   chegada do *mindfulness* à, 11-12, 36-37, 61-67

budismo e, 82-83
budismo e, 83-84
meditação e, 83-86
prestar atenção e, 190-192, 195-196, 211
cura do corpo político, 27-28

Dalai Lama. *Ver também* Kundun
cultura ocidental e, 84
encontros com, 27
presença do, 119-120
darma, 85, 179-184
depressão, 215
"des-atenção", 162
"des-compasso", 46, 154, 162-166, 174, 183. *Ver também dukkha*
Clínica de Redução do Estresse e, 185, 188
fenômenos emergentes e, 233
TDA, 190
TDAH, 198
"desconexão", 162
"desordem", 162
"desregulação", 162
descontentamento, 46
desenvolvimento da linguagem, 134
desobediência civil, 147
diagnóstico, primeira Nobre Verdade como, 184
Diamond, Jared
Guns, Germs, and Steel, 226
Dickinson, Emily, 225
dignidade, 225-229

dignitarianismo, 226
dimensões escondidas, 35-36
dióxido de carbono (CO_2), mudanças atmosféricas em, 27
dirigir distraído, 204
discernimento sábio, 78
discernimento, busca por mais, 78
distração, tecnologia como, 197
DNA, 231
doença autoimune da Terra, 30-32, 40-42
dor, consciência da, 127-131
Dropping Ashes on the Buddha (Mitchell), 70
Duke, Universidade, 63
dukkha, 185, 188. *Ver também* "des-compasso"
descrição, 170-173
Quatro Nobres Verdades e, 183
TDA como manifestação de, 190

economia da atenção, 19
egocentrismo, 221-222
El Camino Hospital, 62
Eliot, T. S., 90
empatia, 222
engajamento social das crianças, 191-192
epigenética, 16
equilíbrio dinâmico, 28-29
equilíbrio, 27-28, 37, 187, 205, 209-210, 217
"erro de apreensão", 164
"erro de atribuição", 164

"erro de avaliação", 165
"erro de percepção", 165-166
"erros", 165-166
Escola de Direito de Harvard, 64
escolas *mindful*, 65
escolas
　programas de MBSR em, 64
　presença nas, 118
esforço correto para a meditação, 84-85
essência da mente, 161, 223
estados mentais não saudáveis, 143-145
Estados Unidos, "ganhando" a guerra e levando paz, 38
estresse, 47-48, 198-199. *Ver também* "des-compasso"; *dukkha*
eterno, o, 47-49
ética, 143-149
etiologia, segunda Nobre Verdade como, 184
eu, história do, 130
eudaimonia, 182
evangelhos, 181
eventos marcantes e experiências, 214

Facebook, 191
Faculdade de Direito da Universidade de Columbia, 64
Faculdade de Direito da Universidade de Missouri-Columbia, 64
Faculdade de Direito de Yale, 64
Faculdade de Medicina da Universidade de Virginia Medical School, 63

Faculdade de Medicina de Jefferson, 63
Falling Awake (Kabat-Zinn), 17
famílias, falta de atenção nas, 192
Faraday, Michael, 137
fazer, não fazer e, 13
fenômenos emergentes, 233-235
Flint, Michigan, sistema educacional em, 65
fora de contato, estar, 159-160
fora de si, estar, 73-74
Francisco, São, 100
Friedman, Thomas, 207-208, 211
Fuller, Robert
　Somebodies and Nobodies, 226
Fuzzy Thinking (Kosko), 78

Galileu Galilei, 182, 220
Gandhi, Mohandas K., 147
Garten, Jeff
　The Mind of the CEO, 208
gentileza, 180
Ginsberg, Allen, 181
Golden State Warriors, 65
Goldstein, Joseph, 79, 151
Goodenough, Ursula, 233
Grande Carro, 79
graus de liberdade, 34-35
guerra, 37-38. *Ver também* Segunda Guerra Mundial
Guns, Germs, and Steel (Diamond), 226

Harvard Negotiation Law Review, 64
hata-ioga, 17-18

Healing Power of Mindfulness, The (Kabat-Zinn), 17, 63
heartfulness, 109
hipocrática, integridade, 57-60
história
    da civilização, 217-218
    mindfulness na, 21-22, 150-151
história do eu, 131
Hoelting, Kurt, 65
Homero, 75
    Odisseia, 75, 80, 81
Homo sapiens sapiens, 18, 193, 217
hospitais, programas de MBSR em, 61-66, 175-177
How the Mind Works (Pinker), 224
Hubble, Edwin, 220
Hui Neng, 68

"ímãs" de *dukkha*, 174-178
inconsciência, "des-compasso" da, 155-156
Índia, 21
Inside Passages, 65
Instagram, 191
integridade hipocrática, 57-59
inteligência artificial, 214
intenção, atenção e, 164
internet, 191
interocepção, 160
intuição, 160
ioga, 66-67
Iraque
    norte-americanos como libertadores no, 77
    "vencer" a guerra no, 38

irlandeses, cópia de manuscritos antigos por, 172
ISIS, 40
isolamento, 190-191

Jackson, Phil, 65
James, William, 157
    Princípios de psicologia, 157
Jimenez, Juan Ramon "Oceanos", 125
jornada da vida, 24-32
    consciência e, 33-34
    desafios da, 34-35
    equilíbrio dinâmico e, 30-31
    cura do mundo mais amplo e, 37-41
    lições da medicina moderna, 30-31
    mindfulness e, 36-37
    relação com o mundo, 25-26
judeus, articulação do tempo histórico pelos, 173
julgar, 77, 150
Jung, Carl, 83

Kabat-Zinn, Jon
    Coming to Our Senses, 10, 16
    Falling Awake, 17
    Viver a catástrofe total, 62
    The Healing Power of Mindfulness, 17-18, 63
    Mindfulness for All, 18
Kabir, 82, 121
    poesia de, 82, 121-122
Kaiser Permanente, 62
Kalu Rinpoche, 238

Kanizsa, triângulo de, 76-77
Keller, Helen, 178
Kerouac, Jack
"Vagabundos do Dharma", 181
Kerr, Steve, 65
King, Martin Luther, Jr., 147
Kosko, Bart
Fuzzy Thinking, 78
Kroese, Andries, 61
Kundun, 119-120. *Ver também* Dalai Lama
Kurzweil, Ray, 214-216

Lang, R. D., 45
Lax, Charles, 210-211
Lei de Moore, 201-202, 216
Lei do Tempo e do Caos, 214-215
Lei dos Retornos Acelerados, 214, 216
leis naturais, 182-183
liberdade
consciência e, 127-132
graus de, 34
linhagem. *Ver* andaimes
Los Angeles Lakers, 65
Luke, Helen, 76n*

Mann, Jonathan, 226
mapeando o território da meditação, 136-138
massacre, My Lai, 146
Matrix (filme), 238
Maxwell, James Clerk, 137
MBCP (parto e criação baseados em *mindfulness*), 64
MBCT (terapia cognitiva baseada em *mindfulness*). *Ver* terapia cognitiva baseada em *mindfulness* (MBCT)
MBSR (redução de estresse baseada em *mindfulness*). *Ver* redução de estresse baseada em *mindfulness* (MBSR)
medicina comportamental. *Ver* medicina corpo/mente
medicina
    falta de atenção na, 192-193
    lições da, 31-33
    corpo/mente, 29-30, 34
medicina integrada. *Ver* medicina corpo/mente
medicina corpo/mente, 29-30, 34. *Ver também* terapia cognitiva baseada em *mindfulness* (MBCT); redução de estresse baseada em *mindfulness* (MBSR)
medicina participativa, 177
medicina psicossomática. *Ver* medicina corpo/mente
medida interna, 177
meditação *mindfulness*, descrição, 36. *Ver também* meditação
meditação. *Ver também mindfulness*
    abordagens para pensar a, 82-85
    andaimes e, 135-142
    apontar e sustentar a atenção na, 112-116
    como ato radical de amor, 11-12, 123-126

cultura ocidental e, 11-12, 36-37, 61-67, 83-86
definição, 11-12
desafios da, 46-56
descrição e benefícios da, 36-37, 47-48
ideias erradas sobre, 90-96
ioga e, 65-66
mapeando o território da,137-138
motivação para praticar, 103-110
poesia e, 53-56
prática informal, 12
presença na, 117-122
relação com o pensamento na, 16-17
saúde/bem-estar e, 174-178
medo, consciência do, 127
Mehlman, Bruce P., 209
melhorar a si mesmo, 21
mente
   iniciante, 123-124
   original, 71-72
Michelangelo, 138, 140
Microsoft Office, 209
Mind of the CEO, The (Garten), 208
mindfulness deliberado, 150
Mindfulness for All (Kabat-Zinn), 18
mindfulness nas escolas, 65
mindfulness sem esforço, 150
mindfulness. *Ver também* atenção; consciência; meditação
   apelo *mainstream* e, 14-16

atenção parcial contínua/ e, 207
budismo e, 50-51, 152
como desafio e aspiração, 22
como espelho, 150, 152
definição, 35
deliberado, 151
descrição, 36-37, 48-53, 150-156
fazer e não fazer no, 13-14
jornada da vida e, 33-34
liberdade com consciência no, 127-132
na cultura ocidental, 36-37, 61-67
na história, 21-22, 152-154
na vida cotidiana, 17
passagem do tempo e, 218-219
pensamento e, 94-96
prática do, 131
sem centro e sem periferia no, 220-224
sem esforço, 150
Mitchell, Stephen
Dropping Ashes on the Buddha, 70
momentos originais, 68-72
Moore, Gordon, 201-202
moralidade, 143-149
"morrer antes de morrer", 43
motivação para praticar meditação, 104-111
Mozart, Wolfgang Amadeus, 136
mudança climática, 27-28
mudanças atmosféricas, em níveis de CO_2, 27

multitarefas, 209-211
Mumford, George, 65-66
mundo natural, calma no, 194
mundo, 24-25, 36-43, 161. *Ver também* corpo político, descrição
My Lai, massacre de, 146

não fazer, 13-14, 49
"Não há lugar para a forma" (Rumi), 161
não meditação, 141
nazistas, 146
negócios
    processo nos, 228-229
    programas de MBSR nos, 65
neuroplasticidade, 16
New York Times, The 205-207, 217
New Yorker, 81, 201
Newton, Isaac, 130, 182
Nhat Hanh, Thich, 106-107, 184
ninguém, alguém *vs.*, 225-228
nirvana, 93
Nobre Caminho Óctuplo, 184, 237
Nobres Verdades, 170, 173, 182, 183, 237
Noruega, 62
    Nothing Special (Beck), 228
Nudelman, Howard, 62-63

O pequeno príncipe (St. Exupéry), 80-81
"Oceanos" (Jimenez), 125
Odisseia (Homero), 75, 76, 77

Odisseu, 75, 76, 77
olho, truques do, 74-75, 33-36
Oliver, Mary, 131, 194
ordem, atenção e, 163

Painel Intergovernamental sobre Mudança Climática, 27-28
parto e criação baseados em *mindfulness* (MBCP), 64
passagem do tempo, 213-219
paz, 30, 34, 38, 50, 146, 118, 139, 179
pensamento espiritual, 226-227
pensamento preto e branco, 77
percepção, prestar atenção à, 161
periferia da consciência, 220-224
perspectiva, 220-222
Pinker, Steven
    How the Mind Works, 224
plano de tratamento, quarto Nobres Verdades como, 183
Plano Marshall, 38
Platão, 177
poesia, 52-55. *Ver também poemas e poetas específicos*
ponto de vista, 220-222
Prajnaparamita, 237
prática informal de meditação, 12
presença e consciência, 19-20 na meditação, 117-122
prestar atenção. *Ver* atenção
princípio antrópico, 224
Princípios de psicologia (James), 157
prisões, 65, 117

prognóstico, terceira Nobre Verdade como, 184
Programa de Redução do Estresse e Relaxamento, 57-59. *Ver também* Clínica de Redução do Estresse, 63
   integridade hipocrática e, 105, 107
   medicina integrada e, 175-176
   práticas do, 92
   razões para ir ao, 46-47, 185-189
programas de MBSR para residentes de áreas pobres e sem-teto, 65
propriocepção, 160

Quatro Nobres Verdades, 170, 178, 182, 184, 237

Rechtschaffen, Daniel, 65
reconhecimento, desejo de, 225-226
redução de estresse baseada em *mindfulness* (MBSR). *Ver também* Clínica de Redução do Estresse
   origens da, 14-15, 175-176
      popularidade da, 61-65, 185-189
regulação, atenção e, 164
reificação, 228-229
relacionamento com o mundo, 25-27
relaxamento, meditação e, 91-92

respiração para apontar e sustentar atenção, 112-114
Rosenbaum, Elana, 64
Rosenberg, Larry, 151
Roshi, Suzuki, 124n*
rotação ortogonal na consciência, 43
Rumi
   "Sem lugar para a forma", 161
   outras poesias de, 56
Ryokan, 131

sabedoria, 116, 180
samadhi, 112-113
sangha, 176
sapatos, origens dos (histórias), 87-90
saúde
   meditação para melhorar a, 174-178
   mindfulness e, 17
   prestar atenção e, 162-166
Schwartz, Gary, 161
Segunda Guerra Mundial, 38, 146
Seinfeld, Jerry, 218
"sem apego", 83-86
sensação do tempo passando, 213-219
sentidos. *Ver também* sentidos específicos
   e vazio, 232-235
   prestar atenção aos, 158-161
ser visto. *Ver* ver

Seung Sahn (ou Soen Sa Nim), 68-72, 76, 95, 228
Sidekick (aparelho móvel), 210
Snapchat, 191
sociedades caçadoras e coletoras
   atenção nas, 1193-195
   consciência nas, 153
Sócrates, 180
Soen Sa Nim. *Ver* Seung Sahn (ou Soen Sa Nim)
Somebodies and Nobodies (Fuller), 226
St. Exupéry, Antoine de
   O pequeno príncipe, 80-81
Stahl, Bob, 62
Stanford, Universidade, 63
Stone, Linda, 207
Suécia, 62
sustentar a atenção, 112-116
sutra do coração, 234-237

TDA (transtorno do déficit de atenção), 190-199. *Ver também* atenção, prestar
   adultos como possíveis contribuintes ao, em crianças, 197-200
   na cultura ocidental, 190-193, 194-196, 210
   natureza vs. tecnologia e, 193-195
TDAH (transtorno do déficit de atenção com hiperatividade). *Ver* TDA (transtorno do déficit de atenção)
tecnologia
   vida e, 197, 199, 200-205, 207-212
   e sensação do tempo passando, 215-218
tempo, 213-219
Tenzin Gyatso. *Ver* Dalai Lama
terapia cognitiva baseada em *mindfulness* (MBCT), 33, 62-63
terapia cognitiva. *Ver* terapia cognitiva com base em *mindfulness* (MBCT)
teravada, 152
Thera, Nyanaponika, 150, 152
Thompson, Hugh, Jr., 147
Thoreau, Henry David
   Walden, 33, 111
Time (revista), 66
Tirésias, 75, 81
Toynbee, Arnold, 84
tradição dzogchen, 17
transtorno do déficit de atenção (A.D.D.). *Ver* TDA (transtorno do déficit de atenção) transtorno do déficit de atenção com hiperatividade (TDAH). *Ver* TDA (transtorno do déficit de atenção)
Treinamento On-line de Educação *Mindful*, 65
triângulo de Kanizsa, 76-77

Universidade da Califórnia, San Francisco, 62
Universidade da Flórida, 63
Universidade de Wisconsin, 63
universo, dimensões, 32-33

"Vagabundos do dharma" (Kerouac), 181
vazio
    completude e, 234
    dignidade e, 226-229
    processo e, 229-233
    vazio intrínseco da autoexistência, 233-238
"Velejando a Bizâncio" (Yeats), *167*, 167-169
    mindfulness e, 171-172
    não visualmente, 73-82
vida autêntica, *dukkha* e, 170
vida
    vida autêntica, 171
    cotidiano, *mindfulness* no, 18
    impessoalidade da, 227-228
    tomar assento na, 11-12
    tecnologia e, 194-197, 200-206, 207-212

vipassana, 17, 61, 151
visão. *Ver* ver
Viver a catástrofe total (Kabat-Zinn), 62

Walden (Thoreau), 33, 111
Wallace, Alan, 51
Wheeler, H. Brownell, 58-59, 60
Whitman, Walt, 45
Wilber, Ken, 101
Williams, William Carlos, 55-56
World Wide Web, 195

Yeats, W.B., 134, 167, 168
    "Velejando a Bizâncio", 167, 167-169

zen, 17-18, 68-72, 83, 152

Sobre o autor

Jon Kabat-Zinn, PhD., é fundador da MBSR (Redução do Estresse Baseada em *Mindfulness*), da Clínica de Redução do Estresse (1979) e do Centro de Mindfulness em Medicina, Saúde e Sociedade (CFM, 1995), na Faculdade de Medicina da Universidade de Massachusetts. Também é professor emérito de medicina. Lidera *workshops* e retiros de *mindfulness* para profissionais da saúde, a comunidade de tecnologia e negócios e plateias leigas no mundo todo. É forte defensor da justiça social e econômica. É autor ou coautor de dez livros, incluindo os *best-sellers Wherever You Go, There You Are* [Aonde quer que você vá, lá está você] e *Viver a catástrofe total*. Com sua esposa Myla Kabat-Zinn, publicou um livro sobre criação dos filhos com *mindfulness*, *Everyday Blessings* [Bênçãos diárias]. Apareceu em inúmeros documentários televisivos ao redor do mundo, incluindo o especial da PBS *Healing and the Mind*, com Bill Moyers, *Oprah* e *60 Minutes* com Anderson Cooper, da CBS. Mora em Massachusetts. Seu trabalho contribuiu para um movimento crescente de *mindfulness* em instituições tradicionais de áreas como medicina, psicologia, saúde, neurociência, escolas, educação superior, negócios, justiça social, justiça criminal, prisões, advocacia, tecnologia, governos e esportes profissionais. Hospitais e centros médicos no mundo todo, hoje, oferecem programas clínicos baseados no treinamento em *mindfulness* e MBSR.

Práticas de meditação *mindfulness* guiadas com Jon Kabat-Zinn

Disponíveis em aplicativos, downloads ou CDs

(veja *links* a seguir)
Série 1
Estas meditações guiadas (exame do corpo e meditação sentada) e práticas de ioga guiadas 1 e 2 formam as práticas de fundação do MBSR e são usadas em programas ao redor do mundo. Essas práticas e seu uso são descritos em detalhes em *Viver a catástrofe total*. Cada meditação tem duração de 45 minutos.

Série 2
Estas meditações guiadas são pensadas para quem quer uma gama de meditações guiadas mais curtas para ajudar a desenvolver e/ou expandir e aprofundar uma prática de meditação

pessoal baseada em *mindfulness*. A série inclui as meditações de montanha e lago (cada uma, com 20 minutos), além de uma série de outras práticas sentadas e deitadas de 10, 20 e 30 minutos. Esta série foi originalmente desenvolvida para acompanhar o livro *Wherever You Go, There You Are*.

Série 3
Estas meditações guiadas foram criadas para acompanhar este livro e os outros três volumes baseados em *Coming to Our Senses*. A série 3 inclui meditações guiadas baseadas em respiração e sensações corporais (paisagem da respiração e paisagem do corpo), em sons (paisagem do som), pensamentos e emoções (paisagem da mente), consciência sem escolha (paisagem do agora) e ternura (paisagem do coração). Há ainda instruções para meditação deitada (pose do cadáver/morrer antes de morrer), caminhadas *mindful* e cultivar o *mindfulness* no dia a dia (paisagem da vida).

Para aplicativos de iPhone e Android: www.mindfulnessapps.com
Para *downloads*: www.betterlisten.com/pages/jonkabatzinnseries123
Para conjuntos de CD: www.soundstrue.com/jon-kabat-zinn

**Acreditamos
nos livros**

Este livro foi composto em Baskerville e
impresso pela Eskenazi Indústria Gráfica para
a Editora Planeta do Brasil em maio de 2019.